Viele liebe Grüße
aus Deutschland
Ihre M. Hagmeier

SERIE PIPER
Band 300

Zu diesem Buch

Der Almanach »Der Blaue Reiter« ist eines der wichtigsten Dokumente der modernen Kunst, er ist gewiß das bedeutendste Manifest der modernen Bewegung vor dem Ersten Weltkrieg. Das Buch fixiert mit ausgreifenden, voneinander entfernte Gebiete gleichwertig berücksichtigenden Beiträgen das wache Bewußtsein jener Jahre, in denen alles geschah: Die moderne Kunst hat damals schon alles geleistet, den »Aufbruch« und die »Krise« dazu.

Laszlo Glozer, Süddeutsche Zeitung

Klaus Lankheit, geboren 1913 in Landsberg (Warthe). Studium der allgemeinen Religionsgeschichte, Kunstwissenschaft und Geschichte. Em. Ordinarius der Kunstgeschichte an der Universität Karlsruhe und Honorarprofessor an der Universität Heidelberg. Zahlreiche Veröffentlichungen, u. a. »Die Frühromantik und die Grundlagen der gegenstandslosen Malerei« (1951), »Florentinische Barockplastik« (1962), »Revolution und Restauration« (1965, ³1989), »Franz Marc – Katalog der Werke« (1970), »Franz Marc – Sein Leben und seine Kunst« (1976), »Franz Marc Schriften« (1978), »Weinbrenner und der Denkmalskult um 1800« (1979), »Wassily Kandinsky / Franz Marc, Briefwechsel« (1983), »Der kurpfälzische Hofbildhauer Paul Egell« (1988), »Von der napoleonischen Epoche zum Risorgimento« (1988).

Der Blaue Reiter

Herausgegeben von
Wassily Kandinsky und Franz Marc

Dokumentarische Neuausgabe
von Klaus Lankheit

Mit 161 Abbildungen

Piper
München Zürich

Von Klaus Lankheit liegt in der
Serie Piper außerdem vor:

Franz Marc im Urteil seiner Zeit (986)

ISBN 3-492-10300-6
Überarbeitete Neuausgabe Dezember 1984
8. Auflage, 50.–54. Tausend Dezember 1990
(5. Auflage, 24.–28. Tausend dieser Ausgabe)
© R. Piper & Co. Verlag, München 1965
Umschlag: Federico Luci
Gesamtherstellung: Clausen & Bosse, Leck
Printed in Germany

Inhalt

Aus dem Vorwort zur 1. Auflage 1965

Vor mehr als fünfzig Jahren – 1914 – ist die zweite und seither letzte Auflage des Sammelbandes »Der Blaue Reiter« erschienen, dessen Erstauflage 1912 veröffentlicht worden war. Jene zweite Auflage fiel mit dem zehnjährigen Bestehen des Verlages zusammen. Auch sie – wie die erste in kleiner Auflage gedruckt – ist längst vergriffen.

Inzwischen hat der Band seinen Rang als die bedeutendste Programmschrift der Kunst des 20. Jahrhunderts erobert. Diese Tatsache wird von der internationalen Forschung einhellig anerkannt: »Der Almanach blieb in der europäischen Kunstliteratur ein Unikum, in keinem Land ist ein Werk erschienen, das wie dieses die ganze Erregtheit und Spannung der Vorkriegsjahre einfinge« (Will Grohmann). »Der Blaue Reiter war eine Bewegung von wahrhaft historischer Bedeutung und befruchtender Kraft ... die bildnerischen Einsichten, die damals formuliert wurden, sind heute noch genauso gültig wie vor einem halben Jahrhundert« (Marcel Brion).

Eine Neuausgabe bedarf somit keiner Rechtfertigung, ja sie gehört zu den dringlichsten Desideraten des kunsttheoretischen und kulturellen Schrifttums. Im sechzigsten Jahr seines Bestehens hat der Verlag diese Forderung als eine besondere Verpflichtung empfunden.

Aber so leicht die grundsätzliche Entscheidung für eine Neuausgabe fiel, so schwierig erwiesen sich die Überlegungen hinsichtlich der Form des Buches. Obwohl aus handschriftlichen Notizen Kandinskys und Marcs hervorgeht, daß diese selbst mit Inhalt und

Ausstattung des Almanachs nicht völlig zufrieden waren und für eine eigene dritte Auflage höchstwahrscheinlich Änderungen durchgeführt hätten, verbot sich ein derartiges Vorgehen dem Bearbeiter der Neuausgabe doch von vornherein. Denn für uns Heutige besitzt »Der Blaue Reiter« den dokumentarischen Wert einer Schriftquelle – und diesen Charakter galt es unbedingt zu wahren. Auf einen Faksimiledruck wurde andererseits bewußt verzichtet . . . Die Herstellungskosten — nicht zuletzt durch die Binde- und Klebearbeiten — wären so hoch ausgefallen, daß der Band nur für einen zahlenmäßig sehr beschränkten Kreis erschwinglich geworden wäre und gerade diejenigen Leser nicht erreicht hätte, für die er im besonderen gedacht ist.

So entschlossen sich denn Verlag und Bearbeiter zu einer »Studienausgabe«. Format, Satzspiegel, Typographie, Papiersorte wurden den modernen Bedürfnissen angepaßt, aber jedes Wort und jede Abbildung des Originals sind beibehalten, nichts ist fortgelassen und nichts hinzugefügt worden. Auch die Reihenfolge von Text und Abbildungen blieb gewahrt. Lediglich Druckfehler wurden berichtigt, die Interpunktion den heutigen Regeln angepaßt. Zugrunde gelegt wurde die erste Auflage; die Vorworte zur zweiten bringt der Anhang. Da der Umbruch Änderungen bedingte, bezeichnen die in eckige Klammern gesetzten Ziffern die ursprünglichen Seitenzahlen. Der Benutzer vermag sich dadurch von der originalen Anordnung zu überzeugen.

Dafür durfte auf eine zusätzliche Dokumentation sowie auf einen kritischen Kommentar nicht verzichtet werden. Nach einem halben Jahrhundert sind viele Tatsachen des kunstpolitischen Tageskampfes und viele Namen, die den Zeitgenossen geläufig waren, in Vergessenheit geraten. Manch sachlicher Irrtum war nach dem damaligen Stand des Wissens unvermeidlich und mußte berichtigt werden. Besondere Sorgfalt wurde auf – bis dahin fast immer fehlende – genaue Angaben zu den abgebildeten Werken und Hinweise auf deren heutige Aufbewahrungsorte gelegt; nach Möglichkeit wurden neue Vorlagen für die Klischierung beschafft. Endlich hat der heutige Leser einen Anspruch darauf, über die Persönlichkeiten der Herausgeber und Mitarbeiter, über den kunsthistorischen und geistigen Hintergrund, über Entstehungsumstände und Auswirkung der Publikation in den Grundzügen unterrichtet zu werden.

»Über die Tage, in denen der berühmt gewordene Sammelband seine Gestalt gewann, gibt es keine Dokumente« – diese Meinung des Biographen von August Macke herrscht zwar noch immer vor, ist aber gleichwohl irrig. Überreich fließen die Quellen gerade für die entscheidenden Monate, Wochen und Tage der Entstehung des Almanachs. Dieser einzigartige Bestand ist bisher freilich unveröffentlicht und noch nicht genutzt worden: der vollständige Briefwechsel zwischen Wassily Kandinsky und Franz Marc aus dem Zeitraum von 1911–1914. Dazu kommt besonders der Nachlaß Reinhard Pipers. Zahlreiche weitere Zeugnisse und Einzelfunde aus der Alten und der Neuen Welt ergänzen das Bild. So hoffe ich, die Forschung über den derzeitigen Stand hinaus durch authentisches Material und durch neue Erkenntnisse entscheidend zu bereichern . . .

Karlsruhe/Heidelberg, im Sommer 1965   K. L.

Vorwort zur 3. Auflage 1979

Nachdem inzwischen englische und amerikanische, italienische und französische Ausgaben dieser Publikation vorliegen, ist nun auch eine deutsche Neuauflage notwendig geworden.

Sie hat die Möglichkeit geboten, den Text durchzusehen und den Kommentar zu überarbeiten. Im Verzeichnis der Abbildungen konnten die Angaben über den Verbleib von Originalen wesentlich ergänzt werden. Eine ausgewählte Bibliographie wurde hinzugefügt.

K. L.

Vorwort zur 4. Auflage 1984

Die neue, in der »Serie Piper« erscheinende Ausgabe bot erneuten Anlaß, Text und Kommentar zu überarbeiten sowie Verzeichnisse und Bibliographie zu ergänzen. Vor allem kann nun auf die im Vorjahr – ebenfalls bei Piper – erschienene und vom Herausgeber bearbeitete Edition des vollständigen Briefwechsels zwischen Kandinsky und Marc hingewiesen werden, deren Anmerkungen zahlreiche weiterführende Hinweise auch zur Geschichte des Blauen Reiters enthalten.

K. L.

Vorwort zur 7. Auflage 1989

In jüngster Zeit hat der Blaue Reiter eine unerwartete Aktualität gewonnen. Durch Ausstellungen im In- und Ausland sowie durch eine Reihe von Veröffentlichungen hat sich unsere Kenntnis der Künstler und Werke beträchtlich erweitert – nicht im Grundsätzlichen, jedoch in Einzelheiten.

Originaler Text und Kommentar zur »Geschichte des Almanachs« blieben nahezu unverändert, das Verzeichnis der Mitarbeiter und die Erläuterungen zu den Abbildungen wurden indes erheblich verbessert. So konnten nunmehr etwa die Lebensdaten Erwin von Busses, der den Beitrag über Robert Delaunay geschrieben hat, vervollständigt werden; und so läßt sich jetzt der Verbleib aller drei reproduzierten Zeichnungen von Alfred Kubin nachweisen. Die Bibliographie wurde ergänzt. Damit spiegelt die neue Auflage den neuesten Forschungsstand wider.

Daß gleichzeitig der Sammelband »Franz Marc im Urteil seiner Zeit« neu erscheint (Serie Piper 986), macht auch die darin veröffentlichten Schriftquellen wieder allgemein zugänglich.

K. L.

DER BLAUE REITER

Bayerisches Spiegelbild St. Martin

DER BLAUE REITER

HERAUSGEBER: KANDINSKY
FRANZ MARC

MÜNCHEN, R. PIPER & CO. VERLAG, 1912

Dem Andenken an Hugo von Tschudi

Kandinsky [Nur in Luxusausgabe und Museumsausgabe – farbig – enthalten]

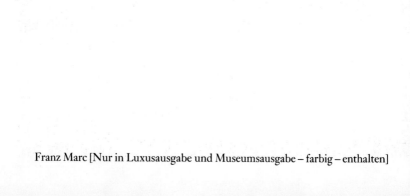

Franz Marc [Nur in Luxusausgabe und Museumsausgabe – farbig – enthalten]

Geistige Güter

von Franz Marc

Deutsch (15. Jahrh.)

Es ist merkwürdig, wie geistige Güter von den Menschen so vollkommen anders gewertet werden als materielle.

Erobert z. B. jemand seinem Vaterlande eine neue Kolonie, so jubelt ihm das ganze Land entgegen. Man besinnt sich keinen Tag, die Kolonie in Besitz zu nehmen. Mit gleichem Jubel werden technische Errungenschaften begrüßt.

Kommt aber jemand auf den Gedanken, seinem Vaterlande ein neues reingeistiges Gut zu schenken, so weist man dieses fast jederzeit mit Zorn und Aufregung zurück, verdächtigt sein Geschenk und sucht es auf jede Weise aus der Welt zu schaffen; wäre es erlaubt, würde man den Geber noch heute für seine Gabe verbrennen.

Ist diese Tatsache nicht schauerlich?

Ein kleines, heute aktuelles Beispiel verleitet uns zu dieser Einleitung.

Meier-Graefe kam auf den Gedanken, seinen Landsleuten die wunderbare Ideenwelt eines ihnen ganz unbekannten, großen Meisters zu schenken – es handelt sich hier um Greco; die große Allgemeinheit, selbst der Künstler, blieb nicht nur gleichgültig,

Chinesische Malerei

sondern griff ihn mit wahrer Wut und Entrüstung an. Er hat sich mit dieser einfachen und edlen Handlung in Deutschland fast unmöglich gemacht.

Es ist wahnsinnig schwer, seinen Zeitgenossen geistige Geschenke zu machen. [1]

Einem zweiten großen Geber in Deutschland ging es nicht besser – Tschudi. Der geniale Mann schenkte Berlin die größten Kulturschätze an Bildern – die Folge war, daß man ihn einfach aus der Stadt vertrieb. Man wollte seine Erwerbungen nicht haben. Tschudi ging nach München. Dasselbe Schauspiel: auch hier wollen sie seine Geschenke nicht. Man besah sich in der Alten Pinakothek die Sammlung Nemes höchstens wie eine neue Modeauslage und wird erleichtert aufatmen, wenn die gefährliche Sammlung weg ist, ohne daß man etwas davon behalten mußte. Die Erwerbung eines Rubens oder Raffael wäre eventuell schon etwas anderes; denn die könnte man unbedenklich als eine Stärkung des *materiellen* Nationalreichtums ansehen.

Diese melancholische Betrachtung gehört insoweit in die Spalten des »Blauen Reiters«, als sie ein Symptom eines großen Übels zeigt, an dem der »Blaue Reiter« vielleicht sterben wird: die allgemeine Interesselosigkeit der Menschen für neue geistige Güter.

Wir sehen diese Gefahr vollkommen klar vor uns. Man wird mit Zorn und Schmähung unsere Geschenke von sich weisen: »Wozu neue Bilder und neue Ideen? Was kaufen wir uns dafür? Wir haben schon zuviel alte, die uns auch nicht freuen, die uns Erziehung und Mode aufgedrängt hat.«

Aber vielleicht behalten auch wir recht. Man wird nicht *wollen,* aber man wird *müssen.* Denn wir haben das Bewußtsein, daß unsere Ideenwelt kein Kartenhaus [2] ist, mit dem wir spielen, sondern Elemente einer Bewegung in sich schließt, deren Schwingungen heute auf der ganzen Welt zu fühlen sind.

Wir weisen gern und mit Betonung auf den Fall Greco, weil die Glorifikation dieses großen Meisters im engsten Zusammenhang mit dem Aufblühen unserer neuen Kunstideen steht. Cézanne und Greco sind Geistesverwandte über die trennenden Jahrhunderte hinweg. Zu dem »Vater Cézanne« holten Meier-Graefe und Tschudi im Triumphe den alten Mystiker Greco; beider Werke stehen heute am Eingange einer neuen Epoche der Malerei. Beide fühlten im Weltbilde die *mystisch-innerliche Konstruktion,* die das große Problem der heutigen Generation ist.

Das Bild von Picasso, das wir nebenstehend [s. S. 26] bringen, gehört, wie die Mehrzahl unserer Illustrationen, in diese Ideenreihe.

Neue Ideen sind nur durch ihre Ungewohnheit schwerverständlich – wie oft müßte man diesen Satz aussprechen, bis einer von hundert die nächstliegenden Konsequenzen aus ihm zöge?

Wir werden aber nicht müde werden, es zu sagen, und noch weniger müde, die neuen Ideen auszusprechen und die neuen Bilder zu zeigen, bis der Tag kommt, wo wir unseren Ideen auf der Landstraße begegnen.

Diese Zeilen waren schon geschrieben, als die schwere Nachricht von Tschudis Tode eintraf.

So wagen wir, dem edlen Andenken Tschudis dies erste Buch zu weihen, für das er wenige Tage vor seinem Tode noch seine immer tätige Hilfe versprach.

Wir hoffen mit brennender Seele, an der Riesenaufgabe, die ohne ihn verwaist liegt, sein Volk zu den Quellen der Kunst zu führen, mit unsern schwachen Kräften weiterzuarbeiten, [3] bis wieder einmal ein Mann kommt, mit mystischen Kräften ausgestattet wie Tschudi, der das Werk krönt und die vorlauten, allzulauten Gegner des großen Toten zum Schweigen bringt: Die Leugner des freien Geistes und der Vorzugstat!

Niemand hat es schwerer erfahren als Tschudi, über seinen Tod hinaus, wie schwer es ist, seinem Volke geistige Geschenke zu machen – aber noch schwerer dürfte es diesem werden, die Geister wieder los zu werden, die Tschudi heraufbeschworen.

Der Geist bricht Burgen. [4]

Bayerisches Spiegelbild

Pablo Picasso: La femme à la mandoline au piano

Kinderzeichnungen

A. Macke

Die »Wilden« Deutschlands

von Franz Marc

n unserer Epoche des großen Kampfes um die neue Kunst streiten wir als »Wilde«, nicht Organisierte gegen eine alte, organisierte Macht. Der Kampf scheint ungleich; aber in geistigen Dingen siegt nie die Zahl, sondern die Stärke der Ideen.

Die gefürchteten Waffen der »Wilden« sind ihre *neuen Gedan-*

ken; sie töten besser als Stahl und brechen, was für unzerbrechlich galt.

Wer sind diese »Wilden« in Deutschland?

Ein großer Teil ist wohlbekannt und vielbeschrien: Die Dresdener »Brücke«, die Berliner »Neue Sezession« und die Münchener »Neue Vereinigung«.

Die älteste von den dreien ist die »Brücke«. Sie setzte sofort mit großem Ernst ein, aber Dresden erwies sich als ein zu spröder Boden für ihre Ideen. Die Zeit war wohl auch noch nicht gegeben für eine breitere Wirkung in Deutschland. Erst einige Jahre später brachten die Ausstellungen der beiden anderen Vereinigungen neues, gefährliches Leben in das Land.

Die »Neue Sezession« rekrutierte sich anfänglich zum Teil aus Mitgliedern der »Brücke«; ihre eigentliche Entstehung aber war eine Ablösung unzufriedener Elemente aus der alten Sezession, die diesen zu langsam marschierte; sie übersprangen kühn die [5] dunkle Mauer, hinter der die alten Sezessionisten sich verschanzt hatten, und standen plötzlich, wie geblendet, vor der unermeßlichen Freiheit der Kunst. Sie kennen kein Programm und keinen Zwang; sie wollen nur vorwärts um jeden Preis, wie ein Strom, der alles Mögliche und Unmögliche mit sich führt, im Vertrauen auf seine reinigende Kraft.

Der Mangel an Distanz verbietet uns den Versuch, hier Edles von Schwachem zu scheiden. Die Kritik träfe auch nur Belangloses und steht entwaffnet und beschämt vor der trotzigen Freiheit dieser Bewegung, die wir »Münchener« nur mit tausend Freuden begrüßen.

Die Entstehungsgeschichte der »Neuen Vereinigung« ist versteckter und komplizierter.

Die ersten und einzigen ernsthaften Vertreter der neuen Ideen waren in München zwei Russen, die seit vielen Jahren hier lebten und in aller Stille wirkten, bis sich ihnen einige Deutsche anschlos-

E. Kirchner

sen. Mit der Gründung der Vereinigung begannen dann jene schönen, seltsamen Ausstellungen, die die Verzweiflung der Kritiker bildeten.

Charakteristisch für die Künstler der »Vereinigung« war ihre starke Betonung des *Programms*; einer lernte vom andern; es war ein gemeinsamer Wetteifer, wer die Ideen am besten begriffen hatte. Man hörte wohl manchmal zu oft das Wort »Synthese«.

Befreiend wirkten dann die jungen Franzosen und Russen, die als Gäste bei ihnen ausstellten. Sie gaben zu denken, und man begriff, daß es sich in der Kunst um die tiefsten [6] Dinge handelt, daß die Erneuerung nicht formal sein darf, sondern eine Neugeburt des Denkens ist.

Die *Mystik* erwachte in den Seelen und mit ihr uralte Elemente der Kunst.

Es ist unmöglich, die letzten Werke dieser »Wilden« aus einer

formalen Entwicklung und
Umdeutung des Impres-
sionismus heraus erklären
zu wollen (wie es z. B. W.
Niemeyer in der Denk-
schrift des Düsseldorfer
Sonderbundes versucht).
Die schönsten prismati-
schen Farben und der be-
rühmte Kubismus sind als
Ziel diesen »Wilden« be-
deutungslos geworden.

Ihr Denken hat ein an-
deres Ziel: Durch ihre Arbeit ihrer Zeit *Symbole*
zu schaffen, die auf die Altäre der kommenden gei-
stigen Religion gehören
und hinter denen der technische Erzeuger ver-
schwindet.

Spott und Unverstand
werden ihnen Rosen auf
dem Wege sein.

Nicht alle offiziellen
»Wilden« in Deutschland
und außerhalb träumen
von dieser Kunst und von
diesen hohen Zielen.

Um so schlimmer für

Südborneo

31

sie. Sie mit ihren kubistischen und sonstigen Programmen werden nach schnellen Siegen an ihrer eigenen Äußerlichkeit zugrunde gehen.

Dagegen glauben wir – hoffen wir wenigstens glauben zu dürfen –, daß abseits all dieser im Vordergrunde stehenden Gruppen der »Wilden« manche stille Kraft in Deutschland um dieselben fernen und hohen Ziele ringt und Gedanken irgendwo im stillen reifen, von denen die Rufer im Streite nichts wissen.

Wir reichen ihnen, unbekannt, im Dunkeln unsere Hand. [7]

Zwei Bilder

von Franz Marc

Die Weisheit muß sich rechtfertigen lassen von ihren Kindern. Wenn wir so weise sein wollen, unsere Zeitgenossen zu belehren, müssen wir unsere Weisheit rechtfertigen durch unsere Werke und müssen sie zeigen wie eine selbstverständliche Sache.

Wir werden es uns hierbei so schwer wie möglich machen, indem wir die Feuerprobe nicht scheuen, unsere Werke, die in die Zukunft zeigen und noch unerwiesen sind, neben Werke alter, längst erwiesener Kulturen zu stellen. Wir tun es mit dem Gedanken, durch nichts unsere Ideen deutlicher zu illustrieren als durch solche Vergleiche; Echtes bleibt stets neben Echtem bestehen, so verschieden auch sein Ausdruck sein mag. Auch ist die Stunde zu solchen Betrachtungen günstig, da wir glauben, daß wir heute an der Wende zweier langer Epochen stehen; die Ahnung davon ist nicht neu; man hat den Ruf vor hundert Jahren schon lauter gehört. Damals wähnte man sich dem neuen Zeitalter schon sehr nahe, viel näher, als wir es heute glauben. Ein ganzes Jahrhundert lag noch dazwischen, in welchem sich eine lange Entwicklung in rasendem Tempo abspielte. Die Menschheit durchjagte förmlich das letzte Stadium einer tausendjährigen Zeit, die ihren Anfang nahm [8] nach dem Zusammenbruch der großen, antiken Welt. Damals legten die »Primitiven« den ersten Grund für eine lange, neue Kunstentwicklung, und die ersten Märtyrer starben für das neue christliche Ideal.

Reinhald das Wunderkind

Heute ist in Kunst und Religion diese lange Entwicklung durchlaufen. Aber noch liegt das weite Land voll Trümmer, voll alter Vorstellungen und Formen, die nicht weichen wollen, obwohl sie schon der Vergangenheit gehören. Die alten Ideen und Schöpfungen leben ein Scheinleben fort, und man steht ratlos vor der Herkulesarbeit, wie man sie vertreiben und freie Bahn schaffen soll für das Neue, das schon wartet.

Die Wissenschaft arbeitet negativ, au détriment de la religion – welches schlimme Eingeständnis für die Geistesarbeit unserer Zeit.

Wohl fühlt man, daß eine neue Religion im Lande umgeht, die noch keinen Rufer hat, von niemand erkannt.

Kandinsky

Religionen sterben langsam.

Der Kunststil aber, der unveräußerliche Besitz der alten Zeit, brach in der Mitte des 19. Jahrhunderts katastrophal zusammen. Es gibt seitdem keinen Stil mehr; er geht, wie von einer Epidemie erfaßt, auf der ganzen Welt ein. Was es an ernster Kunst seitdem [9] gegeben hat, sind Werke einzelner[1]; mit »Stil« haben diese gar nichts zu tun, da sie in gar keinem Zusammenhang mit dem Stil und Bedürfnis der Masse stehen und eher ihrer Zeit zum Trotz entstanden sind. Es sind eigenwillige, feurige Zeichen einer neuen Zeit, die sich heute an allen Orten mehren. Dieses Buch soll ihr Brennpunkt werden, bis die Morgenröte kommt und mit ihrem natürlichen Lichte diesen Werken das gespenstige Ansehen nimmt,

[1] In Frankreich z. B. Cézanne und Gauguin bis Picasso, in Deutschland Marées und Hodler bis Kandinsky; womit keine Wertung der genannten Künstler ausgedrückt sein will, sondern lediglich die Entwicklung der malerischen Ausdrucksform in Frankreich und Deutschland angedeutet wird.

35

Campendonk

in dem sie der heutigen Welt noch erscheinen. Was heute gespenstig scheint, wird morgen natürlich sein.

Wo sind solche Zeichen und Werke? Woran erkennen wir die echten?

Wie alles Echte: an seinem inneren Leben, das seine Wahrheit verbürgt. Denn alles, was an künstlerischen Dingen von wahrheitsliebenden Geistern geschaffen ist, ohne jede Rücksicht auf die konventionelle Außenseite des Werkes, bleibt für alle Zeiten echt.

Wir haben am Kopf dieses Artikels zwei kleine Beispiele hierfür gebracht: rechts eine volkstümliche Illustration aus Grimms Märchen aus dem Jahre 1832, links ein Bild von Kandinsky 1910. Das erste ist echt und ganz innerlich wie ein Volkslied und wurde von seiner Zeit mit der vollkommensten Selbstverständlichkeit und Liebe verstanden, da noch 1832 jeder Handwerksbursche und

Bayerisches Spiegelbild

jeder Prinz dasselbe künstlerische Gefühl besaß, [10] aus dem heraus das Bildchen geschaffen ist. Alles Echte, was damals geschaffen wurde, hatte dieses reine, ungetrübte Verhältnis zum Publikum.

Wir meinen nun aber, daß jeder, der das Innerliche und Künstlerische des alten Märchenbildes empfindet, vor Kandinskys Bild, das wir ihm als modernes Beispiel gegenüberstellen, fühlen wird, daß es von ganz gleich tiefer Innerlichkeit des künstlerischen Ausdruckes ist – selbst wenn er es nicht mit der Selbstverständlichkeit genießen kann wie der Biedermeier sein Märchenbild; zu einem solchen Verhältnis bedürfte man der Vor- und Grundbedingung, daß heute noch das »Land« Stil besäße.

Da dies nicht der Fall ist, *muß* eine Kluft zwischen echter Kunstproduktion und Publikum gähnen.

Es kann nicht anders sein, weil der künstlerisch Begabte nicht mehr wie früher aus dem künstlerischen Instinkte seines Volkes heraus, der verloren ist, schaffen kann.

Könnte aber nicht gerade dieser Umstand zum ernsten Nachdenken über vorstehende Zeilen bringen? Vielleicht beginnt er doch vor dem neuen Bilde zu träumen, bis es seine Seele in eine neue Schwingung versetzt?

Die heutige Isolierung der seltenen echten Künstler ist für den Moment durchaus unabwendbar.

Der Satz ist klar, nur die Begründung seiner Ursachen fehlt.

Und darüber denken wir folgendes: Da nichts zufällig und ohne organischen Grund geschehen kann – auch nicht der Verlust des künstlerischen Stilgefühls im 19. Jahrhundert, [11] so führt uns eben diese Tatsache zu dem Gedanken, daß wir heute an der Wende zweier langer Epochen stehen, ähnlich wie die Welt vor anderthalb Jahrtausenden, als es auch eine kunst-religionslose Übergangszeit gab, wo Großes, Altes starb und Neues, Ungeahntes an seine Stelle trat. Die Natur wird den Völkern nicht ohne große Absichten Religion und Kunst mutwillig gemordet haben. Und wir leben auch der Überzeugung, die ersten Zeichen der Zeit schon verkünden zu können.

Die ersten Werke einer neuen Zeit sind unendlich schwer zu definieren – wer kann klar sehen, auf was sie abzielen und was kommen wird? Aber die Tatsache allein, daß sie *existieren* und heute an vielen, oftmals voneinander ganz unabhängigen Punkten entstehen und von innerlichster Wahrheit sind, läßt es uns zur Gewißheit werden, daß sie die ersten Anzeichen der kommenden neuen Epoche sind, Feuerzeichen von Wegsuchenden.

Die Stunde ist selten – ist es zu kühn, auf die kleinen, seltenen Zeichen der Zeit aufmerksam zu machen? [12]

Der Winter.

Bayerisches Glasbild

Mosaik in S. Marco (Venedig)

Die »Wilden« Rußlands

von D. Burljuk

Japanisch

Der Realismus verändert sich in Impressionismus. In der Kunst rein realistisch zu bleiben, ist undenkbar. Alles in der Kunst ist mehr oder weniger realistisch. Es ist aber unmöglich, auf diesem »mehr oder weniger« Prinzipien einer Schule zu bauen. »Mehr oder weniger« ist keine Ästhetik. Der Realismus ist nur eine Spezies des Impressionismus. Der Impressionismus aber, d. h. das Leben durch das Prisma eines Erlebnisses, ist schon ein schöpferisches Leben des Lebens. Mein Erlebnis ist eine Umgestaltung der Welt. Das Vertiefen in ein Erlebnis bringt mich zur schöpferischen Vertiefung. Das Schöpfen ist gleichzeitig das Schöpfen der Erlebnisse und das Schöpfen der Gestaltungen. Die Schöpfungsgesetze sind die einzige Ästhetik des Impressionismus. Und dies ist zur selben Zeit die Ästhetik des Symbolismus. »Der Impressionismus ist ein oberflächlicher Symbolismus« (Andrej Bjely[1]).

«Vielleicht geht aus den Werken Raffaels und Tizians ein vollerer Kreis der Regeln hervor, als das bei Monet und Renoir der Fall ist, und trotzdem ziehe ich die geringeren Werke dieser Künst-

---

[1] Einer der bekanntesten modernen »jungen« Dichter. Red.

Russische Volkskunst

ler denen vor, die sich mit einer Darstellung der ›Venus mit einem Hündchen‹ oder eines ›Mädchens mit einem Stieglitz‹ begnügten. Diese Bilder können uns nichts Neues sagen, da wir zu unserer Zeit gehören und ihre Meinungen und Gefühle teilen« (Henri Matisse).

»Eine Renaissance wird hauptsächlich nicht durch vollkommene Werke hervorgerufen, sondern durch die Kraft und durch die Einheitlichkeit des Ideals bei einer lebensvollen Generation« (Maurice Denis). [13]

Der für Dezember geplante Kongreß der russischen Künstler soll in erster Linie versuchen, ein Milieu zu schaffen, welches für diese Einheitlichkeit nötig ist. Dieses Ziel wird auch in diesem Falle die jungen Kräfte vereinigen, d. h. die Künstler, die sich nicht an Selbstzufriedenheit ergötzen, sondern neue Wege in der Kunst suchen und den nationalen und den Brotkorbinteressen die idealen Ziele der internationalen Kunst vorziehen.

W. Burljuk

Es ist eine eigene Sache mit der Kunst. Wenn irgendein Kongreß im Interesse irgendeines technischen Gebietes – Luftschiffahrt, Seeschiffahrt, Automobilsport u. dgl. – versammeln würde, so würden ganz bestimmt alle Kongreßmitglieder einstimmig zugeben, daß »wir hinter den anderen Nationen stehen«, daß »Rußland im Vergleich mit Westeuropa weit hinten geblieben ist«. Und es würde festgestellt, daß die westeuropäische Kultur auch noch heute geradeso wie zu Zeiten Peters des Großen für uns ein anstrebenswertes Ideal sein soll.

Anders steht es aber auf jedem geistigen Gebiete, d. h. auch in der Malerei. Hier fehlen die fühlbaren Beweise eines fliegenden Aeroplans. Die Kunst ist eben keine Kruppsche Kanone, welche die Beweisfähigkeit im großen Maße besitzt. Jede theoretische Selbstüberschätzung [14] wird hier zum Schweigen gebracht. Und leider ist die Selbstüberschätzung einer der charakteristischen russischen Charakterzüge – je weniger Kultur, je größer dieser Wahn.

Dieser Wahn ist selbstredend sehr bequem: er beseitigt das unruhige Suchen, das unruhige Schaffen, welche die größten Feinde des »Oblomofftums« sind. Schon der Kunstschriftsteller Alexander Benois[1] hat richtig bemerkt, daß »die russischen Künstler sich durch eine schreckenerfüllende Faulheit auszeichnen – ja! die russischen Künstler sind am Oblomofftum krank – und in diesem Falle sind sie wirklich national!«

Aber auch außer dieser sind noch andere traurige Seiten der russischen Malerei von heute festzustellen. Die früheren Führer – die Künstler der »Kunstwelt«[2] – sind allmählich [15] zur Todesruhe des »Bundes« angelangt, welcher schließlich bis zum Niveau der »Wanderer« sank. (Es ist bekannt, daß »Wanderer« heute als Schimpfwort gebraucht wird.) In den 90er Jahren mokierte sich Rjepin sogar über Puvis de Chavanne und Degas, die uns heute zuckersüß erscheinen. In diesem Punkte war die »Kunstwelt« noch vollkommen liberal und reproduzierte eifrig die französischen Impressionisten, die ich Intimisten nennen möchte und welche Vertreter der süßen prinzipienlosen Kunst sind, der Kunst, welche ziemlich den Boden verlor und nicht weiter als zum Begriff des

---

[1] Einer der bedeutenden russischen »Sezessionisten«. Red.

[2] Die Blütezeit der zweiten russischen Sezession waren die 80—90er Jahre des 19. Jahrhunderts. Um die Zeitschrift »Die Kunstwelt« gruppierten sich die radikalen Künstler der genannten Zeit, welche »Dekadente« genannt wurden. Die in Deutschland bekannteren Künstler dieser Generation sind Somoff und Sjeroff. Der frühere Redakteur der »Kunstwelt«, Djagileff, veranstaltete 1906 im Pariser Salon d'automne eine große russische Ausstellung, wo als Hauptvertreter die Künstler der erwähnten Richtung fungierten. Auf der Rückreise hat diese Ausstellung in Berlin Station gemacht, wobei den größten Eindruck Somoff hinterließ. Als die Zeitschrift endete, entstand der »Bund russischer Künstler«, welcher dem »Deutschen Künstler-Bund« im allgemeinen sehr ähnlich ist. Die erste russische Sezession fing in den 70er Jahren an. Es war die Blütezeit des russischen Realismus. Die große Vereinigung veranstaltete jedes Jahr eine große Wanderausstellung, wonach auch diese Künstler »Die Wanderer« genannt wurden. Einer der Hauptvertreter dieser Richtung ist Ilja Rjepin. Red.

äußerlich Schönen und der Harmonie der Flecken kam. Diese Schwärmerei vor der französischen Kunst bekam aber ein plötzliches Ende, nachdem auch in Rußland eine der neuen französischen Malerei parallele Richtung entstand, d. h. in den feineren, reineren, talentvolleren Seelen eine göttliche Lebensflamme emporstieg und eine mehr bewußte Beziehung zur Kunst. Da entstand um dieses Licht herum ein unglaublicher Spektakel – die reinste Walpurgisnacht! Hier vereinigten sich mit den »Akademikern« auch die Elemente, die früher der Akademie wenigstens äußerlich eine Opposition bildeten[1]. Dieser Spektakel war bestimmt hier und da ein Lärm, welcher manche unbequeme Fragen (bei den dünnhäutigen) übertönte: »Habe ich denn auch recht? Soll man denn so dem ›Apollo‹ dienen, wie ich es tue? Ist es wirklich in Ordnung, wenn ich von Jahr zu Jahr immer dieselben Bilder male und nur ihre Namen ändere?« Jetzt wird das Spiel offen gespielt ...

Die Sache ist so weit gekommen, so weit hinten ist die russische Kunst geblieben, daß z. B. Muther von dieser Kunst überhaupt

---

[1] Der akademische Kanon: »Werte«, Koloristik, der Glauben an die »reale«, »richtige« Zeichnung, an den »harmonischen« Ton (diese Teile des Gesetzes verwerfen manche, die aber das Weitere doch als heilig betrachten), Konstruktion, Proportion, Symmetrie, Perspektive, Anatomie (das Verwerfen dieser Prinzipien ist das allerwesentlichste, das allererste, das allerbezeichnendste – nicht umsonst haben sogar Cézanne und van Gogh, wenn auch nur einen entfernten Wink, auf die Notwendigkeit der Befreiung von diesem Sklaventum gemacht!).

Russisches Volksblatt

Russisches Volksblatt

keine Notiz genommen hat (was Benois wieder »gutmachte«[1]). Sogar Maurice Denis trotz seinem Takt und trotz seinen mehr als bescheidenen Forderungen lächelte ziemlich schief, als ihm die russischen Kunstprodukte gezeigt wurden. [16]

Die Anhänger der akademischen »Kunst«, für welche das freie Suchen nach dem Schönen nichts wie »Fratzenschneiden« ist, für welche das patriotische Gedeihen der »echten« russischen Kunst natürlich die beste Gelegenheit bieten würde, mit ihren talentlosen »Werken« Handel zu treiben – diese Elemente bilden den richtigen Alpdruck der Kunst, ihren Tod. Ein Teil dieser Elemente, welcher ganz offen die Zähne zeigt und mit Würde sein Fell trägt, ist nicht der gefährlichste. Wirklich schlimm ist der andere Teil – die mit Schaffellen maskierten Wölfe. O diese falschen Schäfchen! Sie sind die echte Gefahr, und es heißt – Obacht geben!

[1] Der russischen Ausgabe der Mutherschen Kunstgeschichte wurde ein von Benois geschriebener Extraband beigegeben, welcher die russische Kunst behandelt, wobei der Kreis der »Kunstwelt« den Hauptplatz erhält. Red.

Das sind die wirklichen Feinde der neuen Kunst, welche glücklicherweise in Rußland existiert und welcher andere Prinzipien zugrunde liegen.

Ihre Vertreter Larionoff, P. Kuznezoff, Sarjan, Denissow, Kantschalowsky, Maschkoff, Frau Gontscharow, von Wisen, W. und D. Burljuk, Knabe, Jakulow und die im Auslande lebenden Scherebzowa (Paris), Kandinsky, Werefkina, Jawlensky (München) haben gleich den großen französischen Meistern (z. B. Cézanne, van Gogh, Picasso, Derain, Le Fauconnier, teilweise Matisse und Rousseau) *neue Prinzipien des Schönen*, eine neue Schönheitsdefinition in ihren Werken offenbart.

Die Feinde dieser Kunst sollen sich nur vor Lachen krümmen. Es sollen auch die verkleideten Schäfchen uns ihr Wohlwollen aussprechen, welches sie ebenso gern einem »Kunstweltler« schenken.

Es bleibt ihnen nichts mehr übrig!

Um die Werke der genannten Künstler zu verstehen, muß man gründlich den akademischen Kram über Bord werfen. Das Gefühl muß gesäubert werden, was den Menschen, welche in allerhand schönen »Kenntnissen« stecken, nicht so leicht ist.

Immer dasselbe alte Lied! Auch die größten Zeichner des 19. Jahrhunderts – Cézanne, van Gogh – mußten dieses Lied hören. Unsere »sezessionistischen« Maler sind ja bis heute überzeugt, daß Cézanne kein übler Künstler war, welchem es aber hauptsächlich an der Zeichnung mangelte. [17]

Das neuentdeckte Gesetz aller der obengenannten Künstler ist aber nur eine aufrechtgestellte Tradition, deren Ursprung wir in den Werken der »barbarischen« Kunst sehen: der Ägypter, Assyrier, Skythen usw. Diese wiedergefundene Tradition ist das Schwert, welches die Ketten des konventionellen Akademismus zerschlug und die Kunst freigab, so daß sie in der Farbe und in der Zeichnung (Form) aus der Dunkelheit des Sklaventums sich auf den Weg des hellen Frühjahrs und der Freiheit stellen konnte.

D. Burljuk

Das was erst bei Cézanne, dem »Schwerfälligen«, und dem krampfhaften van Gogh für die »Handschrift« dieser Künstler gehalten wurde, ist eben etwas Größeres: es ist die Offenbarung der neuen Wahrheiten und Wege.

Und diese sind:

1. Die Verhältnisse des Bildes zu den graphischen Elementen desselben, die Verhältnisse des Dargestellten zu den Elementen der Fläche (was wir als einen Wink schon in der ägyptischen »Profilmalerei« sehen).

2. Das Gesetz der verschobenen Konstruktion – die neue Welt der Zeichnungskonstruktion! Das damit verbundene

3. Gesetz der freien Zeichnung – (Hauptvertreter – Kandinsky, auch in den besten Werken von Denissow und besonders klar in den »Soldaten« von Larionoff zu sehen). [18]

4. Die Anwendung mehrerer Standpunkte (was in der Architektur als ein mechanisches Gesetz längst bekannt war), das Vereinbaren der perspektivischen Darstellung mit der Grundfläche, d. h. Verwendung mehrerer Flächen (Jakulow – »Café chantant«).

5. Die Behandlung der Flächen und ihre Überschneidungen (Picasso, Braque, in Rußland – W. Burljuk).

6. Das spektative Gleichgewicht, welches die mechanische Komposition ersetzt.

7. Das Gesetz der farbigen Dissonanz (Maschkow, Kantschalowsky).

Diese Prinzipien bieten unerschöpfliche Quellen der ewigen Schönheit. Hier kann jeder schöpfen, wer Augen bekam, die den versteckten Sinn der Linien, der Farben sehen können. Das ruft, lockt und zieht den Menschen an!

So wurde definitiv das Band zerrissen, welches die Kunst durch allerhand Regeln an die Akademie fesselte: Konstruktion, Symmetrie (Anatomie) der Proportionen, Perspektive usw. – die Regeln, welche jeder Talentlose schließlich leicht beherrscht –, die malerische Küche der Kunst!

Alle unsere Fach- und Gelegenheitskritiker sollten die ersten sein, welche verstehen sollten, daß es höchste Zeit ist, den dunklen Vorhang zurückzuschlagen und das Fenster der echten Kunst zu öffnen! [19]

Die meisten Schriften über Kunst sind von
Leuten verfaßt, die keine Künstler sind:
daher alle die falschen Begriffe und Urteile.

DELACROIX [20]

Bildnis eines Steinmetzen (13. Jahrhundert)

Die Masken

von August Macke

Ein sonniger Tag, ein trüber Tag, ein Perserspeer, ein Weihgefäß, ein Heidenidol und ein Immortellenkranz, eine gotische Kirche und eine chinesische Dschunke, der Bug eines Piratenschiffes, das Wort Pirat und das Wort heilig, Dunkelheit, Nacht, Frühling, die Zimbeln und ihr Klang und das Schießen der Panzerschiffe, die ägyptische Sphinx und das Schönheitspflaster auf dem Bäckchen der Pariser Kokotte.

Das Lampenlicht bei Ibsen und Maeterlink, die Dorfstraßen- und Ruinenmalerei, die Mysterienspiele im Mittelalter und das Bange-

Brasilien

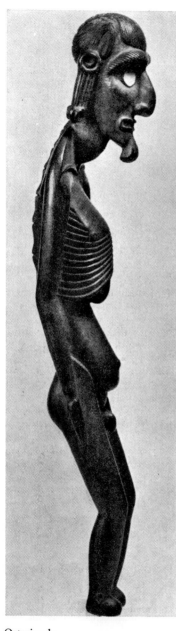

Osterinseln

machen bei Kindern, eine Landschaft von van Gogh und ein Stillleben von Cézanne, das Surren der Propeller und das Wiehern der Pferde, das Hurrageschrei eines Reiterangriffs und der Kriegsschmuck der Indianer, das Cello und die Glocke, die schrille Pfeife der Lokomotive und das Domartige des Buchenwaldes, Masken und Bühnen bei Japanern und Hellenen und das geheimnisvolle, dumpfe Trommeln des indischen Fakirs.

Gilt nicht das Leben mehr denn die Speise, und der Leib mehr denn die Kleidung.

Unfaßbare Ideen äußern sich in faßbaren Formen. Faßbar durch unsere Sinne als Stern, Donner, Blume, als Form.

Die Form ist uns Geheimnis, weil sie der Ausdruck von geheimnisvollen Kräften ist. Nur durch sie ahnen wir die geheimen Kräfte, den »unsichtbaren Gott«.

Die Sinne sind uns die Brücke vom Unfaßbaren zum Faßbaren.
[21]

Schauen der Pflanzen und Tiere ist: Ihr Geheimnis fühlen.

Hören des Donners ist: sein Geheimnis fühlen. Die Sprache der

Formen verstehen heißt: dem Geheimnis näher sein, leben.

Schaffen von Formen heißt: leben. Sind nicht Kinder Schaffende, die direkt aus dem Geheimnis ihrer Empfindung schöpfen, mehr als der Nachahmer griechischer Form? Sind nicht die Wilden Künstler, die ihre eigene Form haben, stark wie die Form des Donners?

Der Donner äußert sich, die Blume, jede Kraft äußert sich als Form. Auch der Mensch. Ein Etwas treibt auch ihn, Worte zu finden für Begriffe, Klares aus Unklarem, Bewußtes aus Unbewußtem. Das ist sein Leben, sein Schaffen.

Wie der Mensch, so wandeln sich auch seine Formen.

Das Verhältnis der vielen Formen untereinander läßt uns die einzelne Form erkennen. Blau wird erst sichtbar durch Rot, die Größe des Baumes durch die Kleinheit des Schmetterlings, die Jugend des Kindes durch das Alter des Greises. Eins und zwei ist drei. Das Formlose, das Unendliche, die Null bleibt unfaßbar. Gott bleibt unfaßbar.

Kamerun

Der Mensch äußert sein Leben in Formen. Jede Kunstform ist Äußerung seines inneren Lebens. Das Äußere der Kunstform ist ihr Inneres.

Jede echte Kunstform entsteht aus einem lebendigen Wechselverhältnis des Menschen zu dem Tatsachenmaterial der Naturformen, der Kunstformen. Der Duft der Blume, das freudige Springen des Hundes, der Tänzerin, das Anlegen von Schmuck, der Tempel, das Bild, der Stil, das Leben eines Volkes, einer Zeit.

Die Blume öffnet sich beim Dämmern des Lichtes. Der Panther duckt sich beim Anblick der Beute, und seine Kräfte wachsen als Folge ihres Anblicks. Und die Spannung seiner Kraft ergibt die Weite seines Sprunges. Die Kunstform, der Stil entsteht aus einer Spannung. [22]

Auch Stile können an Inzucht zugrunde gehen. Die Kreuzung zweier Stile ergibt einen dritten, neuen Stil. Die Renaissance der Antike, der Schongauer- und Mantegnaschüler Dürer. Europa und der Orient.

In unserer Zeit fanden die Impressionisten den direkten Anschluß an die Naturerscheinungen. Die organische Naturform im Licht, in der Atmosphäre darzustellen, wurde ihre Parole. Sie wandelte sich unter ihren Händen.

Kunstformen der Bauern, der primitiven Italiener, der Holländer, Japaner und Tahitianer wurden ebenso zu Anregern wie die Naturformen selbst. Renoir, Signac, Toulouse-Lautrec, Beardsley, Cézanne, van Gogh, Gauguin. Sie alle sind so wenig Naturalisten wie Greco oder Giotto. Ihre Werke sind der Ausdruck ihres inneren Lebens, sie sind die Form dieser Künstlerseelen im Material der Malerei. Das braucht nicht auf das Vorhandensein einer Kultur zu deuten, einer Kultur, die für uns das wäre, was für das Mittelalter die Gotik war, einer Kultur, in der alles Form hat, Form, aus unserm Leben geboren, nur aus unserem Leben. Selbstverständlich und stark wie der Duft einer Blume. [23]

Mexiko   Neukaledonien

Wir haben in unserer komplizierten und verworrenen Zeit Formen, die jeden unbedingt ebenso erfassen wie der Feuertanz den
Neger oder das geheimnisvolle Trommeln der Fakire den Inder.
Der Privatgelehrte steht als Soldat neben dem Bauernsohn. Beiden
fährt der Parademarsch gleichmäßig durch die Glieder, ob sie wollen oder nicht. Im Kinematograph staunt der Professor neben dem
Dienstmädchen. Im Varieté bezaubert die schmetterlingfarbene Tänzerin die verliebtesten Paare ebenso stark, wie im gotischen Dom
der Feierton der Orgel den Gläubigen und Ungläubigen ergreift.

Formen sind starke Äußerungen starken Lebens. Der Unter-
schied dieser Äußerungen untereinander besteht im Material,
Wort, Farbe, Klang, Stein, Holz, Metall. Jede Form braucht man
nicht zu verstehen. Man braucht auch nicht jede Sprache zu lesen.

Die geringschätzige Handbewegung, mit der bis dato Kunst-
kenner und Künstler alle Kunstformen primitiver Völker ins Gebiet des Ethnologischen oder Kunstgewerblichen verweisen, ist
zum mindesten erstaunlich.

Alaska

Was wir als Bild an die Wand hängen, ist etwas im Prinzip Ähnliches wie die geschnitzten und bemalten Pfeiler in einer Negerhütte. Für den Neger ist sein Idol die faßbare Form für eine unfaßbare Idee, die Personifikation eines abstrakten Begriffs. Für uns ist das Bild die faßbare Form für die unklare, unfaßbare Vorstellung von einem Verstorbenen, von einem Tier, einer Pflanze, von dem ganzen Zauber der Natur, vom Rhythmischen.

Stammt das Porträt des Dr. Gachet von van Gogh nicht aus einem ähnlichen geistigen Leben wie die im Holzdruck geformte, erstaunte Fratze des japanischen Gauklers. Die Maske des Krankheitsdämons aus Ceylon ist die Schreckensgeste eines Naturvolkes, mit [24] der seine Priester Krankes beschwören. Für die grotesken Zierate der Maske finden wir Analogien in den Baudenkmälern der Gotik, in den fast unbekannten Bauten und Inschriften im Urwalde von Mexiko. Was für das Porträt des europäischen Arztes die welken Blumen sind, das sind für die Maske des Krankheits-

Kinderzeichnung: Araber

beschwörers die welken Leichen. Die Bronzegüsse der Neger von Benin in Westafrika (im Jahre 1889 entdeckt), die Idole von den Osterinseln aus dem äußersten Stillen Ozean, der Häuptlingskragen aus Alaska und die Holzmaske aus Neukaledonien reden dieselbe starke Sprache wie die Schimären von Notre-Dame und der Grabstein im Frankfurter Dom.

Wie zum Hohn europäischer Ästhetik reden überall Formen erhabene Sprache. Schon im Spiel der Kinder, im Hut der Kokotte, in der Freude über einen sonnigen Tag materialisieren sich leise unsichtbare Ideen.

Die Freuden, die Leiden des Menschen, der Völker stehen hinter den Inschriften, den Bildern, den Tempeln, den Domen und Masken, hinter den musikalischen Werken, den Schaustücken und Tänzen. Wo sie nicht dahinter stehen, wo Formen leer, grundlos gemacht werden, da ist auch nicht Kunst. [26]

Das Verhältnis zum Text

von Arnold Schönberg

Deutsch (15. Jahrh.)

Es gibt relativ wenig Menschen, die imstande sind, rein musikalisch zu verstehen, was Musik zu sagen hat. Die Annahme, ein Tonstück müsse Vorstellungen irgendwelcher Art erwecken, und wenn solche ausbleiben, sei das Tonstück nicht verstanden worden oder es tauge nichts, ist so weit verbreitet, wie nur das Falsche und Banale verbreitet sein kann. Von keiner Kunst verlangt man Ähnliches, sondern begnügt sich mit den Wirkungen ihres Materials, wobei allerdings in den andern Künsten das Stoffliche, [27] der dargestellte Gegenstand, dem beschränkten Auffassungsvermögen des geistigen Mittelstandes von selbst entgegenkommt. Da der Musik als solcher ein unmittelbar erkennbares Stoffliches fehlt, suchen die einen hinter ihren Wirkungen rein formale Schönheit, die ändern poetische Vorgänge. Selbst Schopenhauer, der erst durch den wundervollen Gedanken: »Der Komponist offenbart das innerste Wesen der Welt und spricht die tiefste Weisheit aus, in einer Sprache, die seine Vernunft nicht versteht; wie eine magnetische Somnambule Aufschlüsse gibt über Dinge, von denen sie wachend keinen Begriff hat«, wirklich Erschöpfendes über das Wesen der Musik sagt, verliert sich später, indem er versucht, Einzelheiten dieser. Sprache, *die die Vernunft nicht versteht,* in unsere Begriffe zu übersetzen. Obwohl ihm dabei klar sein muß, daß bei [28] dieser Übersetzung in die Begriffe, in die Sprache des Menschen, welche Abstraktion, Reduktion aufs Erkennbare ist, das Wesentliche, die Sprache der Welt, die vielleicht unverständlich bleiben und nur fühlbar sein soll, verloren geht. Aber immerhin ist er berechtigt zu solchem Vorgehen, da es ja sein Zweck als Philosoph ist, das Wesen der Welt, den unüberblickbaren Reichtum, darzustellen durch die Begriffe, durch die nur allzuleicht zu durchschauende Armut. Und auch Wagner, wenn er dem Durchschnitts-

Elfenbeinskulptur

A. Kubin

menschen einen mittelbaren Begriff von dem geben wollte, was er als Musiker unmittelbar erschaut hatte, tat recht, wenn er Beethovenschen Symphonien Programme unterlegte.

Verhängnisvoll wird solch ein Vorgang, wenn er Allgemeinbrauch wird. Dann verkehrt sich sein Sinn ins Gegenteil: man sucht in der Musik Vorgänge und Gefühle zu erkennen, so als ob sie drin sein müßten. Während es sich bei Wagner in Wirklichkeit so verhält: der durch die Musik empfangene Eindruck »vom Wesen der Welt« wird in ihm produktiv und regt eine Nachdichtung im Material einer andern Kunst an. Aber die Vorgänge und Gefühle, die in dieser Dichtung vorkommen, waren nicht in der Musik enthalten, sondern sind bloß das Baumaterial, dessen sich der Dichter nur darum bedient, weil der noch ans Stoffliche gebundenen Dichtkunst eine so unmittelbare, durch nichts getrübte, reine Aussprache versagt ist.

Ist nun schon diese Fähigkeit des reinen Schauens äußerst selten und nur bei hochstehenden Menschen anzutreffen, so begreift man, wie einige den Weg zum Musikgenuß versperrende zufällige Schwierigkeiten diejenigen, welche unter allen Kunstfreunden den [29]

Bayerisches Glasbild

niedrigsten Standpunkt einnehmen, in eine üble Situation bringen. Daß nämlich unsere Partituren immer schwerer lesbar
werden, die relativ seltenen Aufführungen aber so rasch vorbei-
gehen, daß oft selbst der Sensitivste und Reinste nur flüchtige Eindrücke empfangen kann, macht es dem Kritiker, der berichten und
beurteilen muß, dem aber meist die Fähigkeit fehlt, sich eine Partitur lebendig vorzustellen, unmöglich, auch nur mit jener Ehrlichkeit sein Amt zu versehen, zu der er sich vielleicht wenigstens dann
entschlösse, wenn sie ihm nicht schadet. In absoluter Hilflosigkeit
steht er der rein musikalischen Wirkung gegenüber, und deshalb

schreibt er lieber über Musik, die sich irgendwie auf Text bezieht: über Programmusik, Lieder, Opern etc. Man könnte ihm das fast verzeihen, wenn man beobachtet, daß Theaterkapellmeister, von denen man etwas über die Musik einer neuen Oper erfahren möchte, fast ausschließlich vom Textbuch, von der Theaterwirkung und von den Darstellern schwätzen. Es gibt ja wirklich, seitdem die Musiker gebildet sind und meinen, das beweisen zu müssen, indem sie sich vor dem Fachsimpeln hüten, kaum mehr Musiker, mit denen man über Musik reden kann! Aber Wagner, auf den man sich sehr gerne beruft, hat enorm viel über rein Musikalisches geschrieben; und ich bin sicher, er würde diese Folgen seiner mißverstandenen Bestrebungen unbedingt desavouieren.

Nichts als ein bequemer Ausweg aus diesem Dilemma ist es daher, wenn ein Musikkritiker über einen Autor schreibt, seine Komposition werde den Worten des Dichters nicht gerecht. Der »Rahmen des Blattes«, in welchem es immer gerade an Raum mangelt, wenn notwendige Beweise zu erbringen wären, kommt stets bereitwilligst dem Mangel an Ideen zu Hilfe, und der Künstler wird eigentlich wegen »Mangel an Beweisen« schuldig gesprochen. Die Beweise für solche Behauptungen aber, wenn sie einmal erbracht [30] werden, sind vielmehr Zeugen fürs Gegenteil, da sie nur aussagen, wie einer Musik machen würde, der keine machen kann, wie die Musik also keinesfalls aussehen dürfte, wenn sie von einem Künstler sein soll. Das trifft sogar in dem Fall zu, wo ein Komponist Kritiken schreibt. Selbst wenn's ein guter ist. Denn im Moment, wo er Kritiken schreibt, ist er nicht Komponist: nicht *musikalisch inspiriert.* Wäre er inspiriert, so beschriebe er nicht, wie das Stück zu komponieren ist, sondern komponierte es. Das geht für den, der's kann, sogar schneller und bequemer und ist überzeugender.

In Wirklichkeit kommen solche Urteile von der allerbanalsten Vorstellung, von einem konventionellen Schema, wonach bestimm-

Egyptisch

ten Vorgängen in der Dichtung eine gewisse Tonstärke und Schnelligkeit in der Musik bei absolutem Parallelgehen entsprechen müsse. Abgesehen davon, daß selbst *dieses* Parallelgehen, ja ein noch viel *tieferes*, auch dann stattfinden kann, wenn sich äußerlich scheinbar das Gegenteil davon zeigt, daß also ein zarter Gedanke beispielsweise durch ein schnelles und heftiges Thema wiedergegeben wird, weil eine darauffolgende Heftigkeit sich organischer daraus entwickelt, abgesehen davon, ist ein solches Schema schon deshalb verwerflich, weil es konventionell ist. Weil es dazu führte, auch aus der Musik eine Sprache zu machen, die für jeden »dichtet und denkt«. Und seine Anwendung durch Kritiker führt zu Erscheinungen, wie zu einem Aufsatz, den ich einmal irgendwo gelesen habe: »Deklamationsfehler bei Wagner«, in dem ein Flachkopf zeigte, wie er gewisse Stellen komponiert hätte, wenn Wagner ihm nicht zuvorgekommen wäre.

Ich war vor ein paar Jahren tief beschämt, als ich entdeckte, daß ich bei einigen mir wohlbekannten Schubert-Liedern gar keine Ahnung davon hatte, was in dem zugrunde liegenden Gedicht eigentlich vorgehe. Als ich aber dann die Gedichte gelesen hatte, stellte sich für mich heraus, daß ich dadurch für das Verständnis dieser Lieder gar nichts gewonnen hatte, da ich nicht im geringsten durch sie genötigt war, meine Auffassung des musikalischen Vor-

Markesasinseln

trags zu ändern. Im Gegenteil: es zeigte sich mir, daß ich, ohne das Gedicht zu kennen, den Inhalt, den wirklichen Inhalt, sogar vielleicht tiefer erfaßt [31] hatte, als wenn ich an der Oberfläche der eigentlichen Wortgedanken haften geblieben wäre. Noch entscheidender als dieses Erlebnis war mir die Tatsache, daß ich viele meiner Lieder, berauscht von dem Anfangsklang der ersten Textworte, ohne mich auch nur im geringsten um den weiteren Verlauf der poetischen Vorgänge zu kümmern, ja ohne diese im Taumel des Komponierens auch nur im geringsten zu erfassen, zu Ende geschrieben und erst nach Tagen darauf kam, nachzusehen, was denn eigentlich der poetische Inhalt meines Liedes sei. Wobei sich dann zu meinem größten Erstaunen herausstellte, daß ich niemals dem Dichter voller gerecht worden bin, als wenn ich, geführt von der ersten unmittelbaren Berührung mit dem Anfangsklang, alles erriet, was diesem Anfangsklang eben offenbar mit Notwendigkeit folgen mußte.

Bayerisches Glasbild

R. Delaunay: Tour Eiffel

El Greco: St. Johannes

PFERDE nach Aquarell von F. Marc
[In Originalausgabe
(1. Auflage)
— farbig — enthalten]

Mir war daraus klar, daß es sich mit dem Kunstwerk so verhalte wie mit jedem vollkommenen Organismus. Es ist so homogen in seiner Zusammensetzung, daß es in jeder Kleinigkeit sein wahrstes, innerstes Wesen enthüllt. Wenn man an irgendeiner Stelle des menschlichen Körpers hineinsticht, kommt immer dasselbe, immer Blut heraus. Wenn man einen Vers von einem Gedicht, einen Takt von einem Tonstück hört, ist man imstande, das Ganze zu erfassen. Genauso wie ein Wort, ein Blick, eine Geste, der Gang, ja sogar die Haarfarbe genügen, um das Wesen eines Menschen zu erkennen. [32] So hatte ich die Schubert-Lieder samt der Dichtung bloß aus der Musik, Stefan Georges Gedichte bloß aus dem Klang heraus vollständig vernommen. Mit einer Vollkommenheit, die durch Analyse und Synthese kaum erreicht, jedenfalls nicht übertroffen worden wäre. Allerdings wenden sich solche Eindrücke meist nachträglich an den Verstand und verlangen von ihm, daß er sie für einen umgänglichen Gebrauch herrichte, daß er zerlege und sortiere, messe und prüfe, daß er in jederzeit ausdrückbare Einzelheiten auflöse, was man als Ganzes besitzt, aber nicht verwenden kann. Allerdings geht sogar das künstlerische Schaffen oft diesen Umweg, ehe es zur eigentlichen Konzeption gelangt. Aber es sind Anzeichen vorhanden, daß sogar die andern Künste, denen Stoffliches scheinbar näher liegt, zur Überwindung des Glaubens an die Allmacht des Verstandes und des Bewußtseins gelangen. Und wenn Karl Kraus die Sprache Mutter des Gedankens nennt, W. Kandinsky und Oskar Kokoschka Bilder malen, denen der stoffliche äußere Gegenstand kaum mehr ist als ein Anlaß, in Farben und Formen zu phantasieren und sich so auszudrücken, wie sich bisher nur der Musiker ausdrückte, so sind das Symptome für eine allmählich sich ausbreitende Erkenntnis von dem wahren Wesen der Kunst. Und mit großer Freude lese ich Kandinskys Buch »Über das Geistige in der Kunst«, in welchem der Weg für die Malerei gezeigt wird und die Hoffnung erwacht, daß jene, die nach dem Text, nach dem Stofflichen fragen, bald ausgefragt haben werden.

Dann wird auch klar werden, was in einem andern Fall schon klar war. Kein Mensch zweifelt daran, daß ein Dichter, der einen historischen Stoff bearbeitet, sich mit der größten Freiheit bewegen darf und daß, wenn ein Maler heute noch Historienbilder malen wollte, er nicht genötigt wäre, mit einem Geschichtsprofessor zu konkurrieren. Weil man sich an das zu halten hat, was das Kunstwerk geben will, und nicht an das, was sein äußerer Anlaß ist. Weil also auch bei allen Kompositionen nach Dichtungen die Genauigkeit der Wiedergabe der Vorgänge für den Kunstwert ebenso irrelevant ist wie für das Porträt die Ähnlichkeit mit dem Vorbild, wo doch nach hundert Jahren keiner diese Ähnlichkeit mehr kontrollieren kann, während noch immer die Kunstwirkung bestehen bleibt. Und nicht deshalb besteht, weil, wie vielleicht die Impressionisten meinen, ein wirklicher Mensch, nämlich der scheinbar dargestellte, sondern der Künstler uns anspricht, der sich hier ausgedrückt hat, der, dem in einer höheren Wirklichkeit das Porträt ähnlich zu sehen hat. Hat man das eingesehen, so ist es auch leicht zu begreifen, daß die äußerliche Übereinstimmung zwischen Musik und Text, wie sie sich in Deklamation, Tempo und Tonstärke zeigt, nur wenig zu tun hat mit der innern und auf derselben Stufe primitiver Naturnachahmung steht wie das Abmalen eines Vorbildes. Und daß scheinbares Divergieren an der Oberfläche nötig sein kann wegen eines Parallelgehens auf einer höheren Ebene. Daß also die Beurteilung nach dem Text ebenso verläßlich ist wie die Beurteilung der Eiweißstoffe nach den Eigenschaften des Kohlenstoffs. [33]

Holzfiguren (Malayisch)

Die Geburt, das letzte Scheiden – alles gibt der Himmelsherrscher.
Krötenstimme, Jasminblume – alies gibt der Himmelsherrscher.
Sommerhitze, Frühlingsblumen, Trauben des gebräunten Herbstes,
In den Bergen Schneelawinen – alles gibt der Himmelsherrscher.
Den Gewinn und die Ruine, auf der Reise Glück und Sterben,
Königsmacht und Spinngewebe – alles gibt der Himmelsherrscher.
Schelmenblick dem Mundschenkauge, Weisenehre – weißen
    Haaren,
Stramme Haltung und den Buckel – alles gibt der
    Himmelsherrscher.
Euphratstrom, Gefängnistürme, Felsenmauern, Wüstenfernen,
Alles, was mein Auge sieht – alles gibt der Himmelsherrscher.
Ist mein Schicksal – Macht des Lachens, die Begegnungs-,
    Scheidungsklänge,
Ich verwünsche nicht mein Schicksal – alles gibt der
    Himmelsherrscher. [34]

Aus »Der Kranz der Frühlinge« von *M. Kusmin*, ins Deutsche übersetzt von K.

Die Kennzeichen der Erneuerung in der Malerei

von Roger Allard [1]

Cézanne

[1] Übersetzung des französischen Manuskriptes.

Die Entfaltung eines malerischen Stiles mitzuerleben bis zu seiner Verknöcherung und seinem Tode, der überdauert wird von dem Pseudostile seiner Epigonen, bildet für den Geist die beste Schule, die Gesetzmäßigkeit künstlerischer Evolutionen zu studieren. [35]

Nachdem heute der Impressionismus der Vergangenheit angehört, können wir seine historische Beziehung nicht nur, wie es bis jetzt so oft getan wurde, zu der ihm unmittelbar vorausgegangenen Periode aufdecken, sondern auch zu der ihm folgenden, zu der Kunst unserer Tage.

Die unleugbaren Analogien des Impressionismus mit dem Naturalismus, vor allem in der späteren Periode, sind wohl der tiefere Grund, warum der Impressionismus zu keiner großen Stilbildung zu führen vermochte. Während in allen anderen Zeiten große Kunstepochen schulbildend waren und die Formen der großen Erneuerer feste Stile schufen, gönnten die engen Grenzen des impressionistischen Prinzips nur drei bis vier großen Künstlern die volle Entfaltung ihrer Persönlichkeit.

Überraschende Reaktionen folgten, wie der Neo-Impressionismus, der im Grunde eine versteckte Restauration war und schließlich zum Feinschmeckertum auswuchs. Sogar das große Erbe Cézannes wurde zerpflückt und die Mühsal seiner Entdeckungen zur leichten Ware gemacht, während Cézannes Kunst das Arsenal ist, aus dem heute die moderne Malerei sich die Schwerter zum ersten Waffengange holt, um Naturalismus, falsche Literatur und Pseudoklassizismus aus dem Felde zu schlagen; der Kampf geht heute um andere Dinge.

Diese kurze Vorgeschichte des »Kubismus« bis zu seiner endlichen Formulierung in der Kunst darzustellen, scheint uns wichtig, um den Trivialitäten und falschen Berichten zu begegnen, die sich heute in allen Revuen und Zeitungen über den berüchtigten Kubismus breitmachen.

Le Fauconnier

Was ist der Kubismus?[1]

In erster Linie der bewußte Wille, in der Malerei die Kenntnis von Maß, Volumen und Gewicht wiederherzustellen.

Statt der impressionistischen Raumillusion, die sich auf Luftperspektive und Farbennaturalismus gründet, gibt der Kubismus die schlichten, abstrakten Formen in bestimmten Beziehungen und Maßverhältnissen zueinander. Das erste Postulat des Kubismus ist also die Ordnung der Dinge, und zwar nicht naturalistischer Dinge, sondern abstrakter Formen. Er fühlt den Raum als ein Zusammengesetztes von Linien, Raumeinheiten, quadratischen und kubischen Gleichungen und Wagverhältnissen. [36]

In dieses mathematische Chaos eine künstlerische Ordnung zu bringen, ist die Aufgabe des Künstlers. Er will den latenten Rhythmus dieses Chaos erwecken.

[1] Vgl. verschiedene Artikel darüber in l'Art Libre (Nov. 1910), Les Marches du Sud-Ouest (Juni 1911), La Revue Indépendante (Aug. 1911), La Côte (Okt.–Nov. 1911) etc.

Für diese Anschauung ist jedes Weltbild ein Zentrum, dem die verschiedenartigsten Kräfte streitend zustreben. Der äußerliche Gegenstand des Weltbildes ist nur der Vorwand oder besser gesagt: das Argument der Gleichung. Er war gewiß von jeher nichts anderes in der Kunst – nur lag dieser letzte Sinn jahrhundertelang in einem tiefen Verstecke, aus dem ihn heute die moderne Kunst zu holen sucht.

Ist es nicht merkwürdig, wie schwer es unsern heutigen Kritikern und Ästheten fällt, die Berechtigung einer Umwertung des Naturbildes in eine exakte und abstrakte Formenwelt der bildenden Kunst zuzugestehen, während ihnen auf anderen Gebieten, in [37] Musik und Poesie, eine ähnliche Abstraktion ein selbstverständliches Postulat ist? Camille Mauclair z. B. sieht im Kubismus nichts anderes als eine scholastische Sophistik, die zur Sterilisierung des schöpferischen Gedankens führt. Er vergißt, daß zum Genuß eines Kunstwerkes zwei schöpferische Wesen gehören: einmal der Künstler, der es schafft, der große Erreger und Erfinder, und zum anderen der Beschauer, dessen Geist den Rückschluß zur Natur finden muß – je weitere Wege beide wandern, um sich schließlich am selben Ziel zu finden, desto schöpferischer arbeiteten beide.

Jeder, der aufmerksam seinen eigenen ästhetischen Genußempfindungen nachgeht, wird die Wahrheit dieses Satzes fühlen.

Wenn manche die Möglichkeit einer gesetzmäßigen Ergründung ästhetischer Wirkungen von vornherein verneinen, so könnte man sie wieder fragen, ob wohl Ordnung dasselbe sei als Unordnung? Kann oder muß der menschliche Geist hier nicht mit Thesen und Unterscheidungen eintreten? Womit nicht geleugnet wird, daß alle Werte in der Welt und nicht zum wenigsten die ästhetischen relativ und wandelbar sind.

Henri Matisse: La danse

Es erübrigt noch, einige Worte über die Ausdrucksformen und Mittel zu sagen, die in dem weiten System des Kubismus bis heute Anwendung gefunden haben; denn die Entwicklung dieser Ideen liegt noch in den ersten Anfängen.

Man entmaterialisierte das Weltbild, indem man seine einzelnen Teile voneinander zu lösen versuchte; andere suchten ein System, die Gegenstände umzubilden, bis sie zu abstrakten kubistischen Formen und Formeln wurden, zu Gewichten und Maßen.

Es kamen die Ideen der Futuristen (»le cinematisme«), die an die Stelle der alten europäischen Gesetze der Perspektive eine neue, gewissermaßen zentrifugale Perspektive setzen, die dem Beschauer nicht mehr einen bestimmten Plan anweist, sondern sozusagen um das Objekt herumführt; andere versuchen eine gegenseitige Durchdringung der Objekte, um den Ausdruck der Bewegung zu steigern.

Freilich ergibt keiner dieser Gedanken, getrennt oder vereint, einen künstlerischen Kanon für das Schaffen, ihre erschreckende Fruchtbarkeit trägt vielmehr das schlimme Merkmal der Dekadence. Auf solcher Basis läßt sich kein gesundes ästhetisches Gebäude aufführen. In der Literatur haben wir heute dieselbe Bewegung: der heiße Drang nach Synthese treibt die Geister zu willkürlichen Aufstellungen, die die Poesie ins Pittoreske treiben, das zugleich die Schwelle zur gemiedenen – Anekdote ist; ein gefährlicher circulus [38] vitiosus, der die Geister bannte. So erscheint uns der Futurismus eine Wucherung am gesunden Stamm der Kunst.

Hier, wo wir das Recht der neuen, konstruktiven Bewegung in der Kunst proklamieren, wenden wir uns aber in Verteidigung der guten Sache gegen jene romantische Anschauung, die dem Schaffenden das Denken und die Spekulation überhaupt verbieten will und ihn nur als Inspirierten und Träumer sehen will, dessen linke Hand nicht weiß, was die rechte tut.

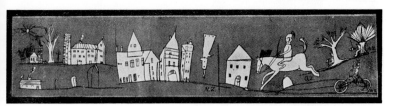

Das erste und vornehmste Recht des Künstlers ist, ein bewußter Baumeister seiner Ideen zu sein.

Wie viele hochbegabte Künstler unserer Tage verbluteten an ihrem Werke in Nichtachtung ihres Rechtes, *bewußt* zu arbeiten. Die Aufrichtigsten unter ihnen erkannten die eiserne Notwendigkeit neuer ästhetischer Gesetze und des Wissens um diese Gesetze.

Der Kubismus ist keine neue Phantasmagorie der »Wilden«, kein Skalptanz um die Altäre der »Offiziellen«, sondern der ehrliche Schrei nach einer neuen Disziplin.

Unter diesem Gesichtspunkt ist auch der alte Streit um die Priorität seiner Entdeckung außerordentlich belanglos. Fraglos haben Derain, Braque und Picasso die ersten formalen Versuche im kubistischen Sinne gemacht, denen dann bald systematischere Werke von anderen folgten. Wir schulden es dem Geist und Temperament dieser Künstler, ihre Namen an die Spitze dieser objektiven Betrachtung zu stellen, die nicht so sehr die Talente zu werten sich unterfängt, als lediglich die Kurve der Entwicklung zu zeigen. Diese Kurve hat seit dem Herbstsalon 1910 eine sehr präzise Richtung angenommen. Die Ausstellungen der Indépendants und des Herbstsalons von 1911 brachten dann schließlich die entscheidende Klarheit, so daß man von einer »Erneuerung« der Malerei reden durfte. Bemerkenswert war die Haltung der Kritik, die aus ihrer bisherigen Reserve herausging und bitterböse und beleidigend wurde. Sie hätte sich die Sprünge einiger junger Füchse gefallen lassen; aber daß man sie vor eine ernste Bewegung stellte, die den endlichen Zusammenbruch der greisenhaften Kunst herbeizufüh-

Cézanne

Stickerei (14. Jahrh.)

ren drohte, das schien ihr unerträglich. Sie drückte allzudeutlich ihr Befremden darüber aus, daß diese neuen Maler gar nicht daran zu denken schienen, ihnen den Sand aus den müden Augen zu reiben, um die Athletik dieser neuen Bilder sehen zu können. Die Kritik verlor so alle Fassung vor dem unübersehbaren, pulsierenden Leben dieser reichen Bewegung, die sie am liebsten als Massenmystifikation hinzustellen [39] versuchte; freilich vergeblich, denn es standen zu starke Größen in den Reihen der neuen Maler, wie Metzinger oder Le Fauconnier, der in die feine Architektur seiner Raumgebilde die vornehme Reserve seines nördlichen Charakters legt. Dann Albert Gleizes, der seine reiche Vorstellungswelt in logische Konstruktionen zwingt. Dann Fernand Leger, ein unermüdlicher Sucher neuer Maßverhältnisse; schließlich der malerische Robert Delaunay, der am weitesten die Flächenarabeske überwunden hat und uns den Rhythmus der großen, unbegrenzten Tiefen zeigt. [40]

Abseits von der traumhaften Kunst Rouaults und ohne Anschluß an den begabten und feinsinnigen Matisse geht diese Phalanx ihrem hohen Ziel entgegen. Zu ihnen zählt auch die stilvolle Marie Laurencin und R. de la Fresnaye, voll Tradition und Schulung und voll neuer Formen. Ist es nicht ein untrügliches Zeichen der Stärke der Bewegung, daß sie die fremdesten Elemente, in innerer Wahlverwandtschaft, in ihren Bannkreis zieht. Dunoyer de Segonzac, L. Albert Moreau, Marchand, Dufy, Lhote, Marcel Duchamp, Boussingault und viele andere Namen, von denen zu sprechen mir hoffentlich bald Gelegenheit geboten wird.

Auch bei den Bildhauern, wie Duchamp-Villon und Alexandre Archipenko, erleben wir die Wendung zu den neuen Ideen.

Die neue geistige Bewegung ist auch keine innerfranzösische mehr, nachdem vom Auslande her derselbe Ruf zur Erneuerung der Kunst ertönt.

Ist es wohl möglich, in dieser trotzigen Bewegung etwas anderes zu erkennen als die Auflehnung gegen eine verbrauchte Ästhetik und gleichzeitig die Schöpfung eines neuen Kanons, der unserm Leben Stil und innere Schönheit geben soll? [41]

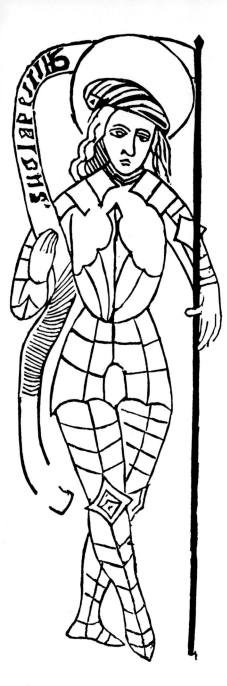

Im Jahre 1807 sagte *Goethe*, »in der Malerei fehle schon längst die Kenntnis des Generalbasses, es fehle an einer aufgestellten, approbierten Theorie, wie es in der Musik der Fall ist«.

(Goethe im Gespräch, S. 94, Insel-Verlag 1907.) [42]

Holzfiguren (Malayisch)

Über Anarchie in
der Musik

von Th. v. Hartmann

Äußere Gesetze existieren nicht. Alles, wogegen sich die innere
Stimme nicht sträubt, ist erlaubt. Dies ist im allgemeinen Sinne und
also im Sinne der Kunst das einzige Lebensprinzip, welches einst
durch den großen Adepten des Verbum incarnata verkündigt
wurde.

Und so ist in der Kunst im allgemeinen und im besonderen in
der Musik jedes Mittel, welches aus der inneren Notwendigkeit
entsprungen ist, richtig. Der Komponist will das zum Ausdruck
bringen, was im Augenblick der Wille seiner inneren Intuition ist.

Dabei kann es leicht vorkommen, daß er eine Klangkombination notwendig braucht, die in der gegenwärtigen Theorie als kakophonisch bezeichnet wird. Es ist klar, daß dieses Urteil der Theorie nicht als Hindernis in diesem Falle angesehen werden darf. Der Künstler ist vielmehr gezwungen, diese Kombination zu verwenden, da ihre Verwendung durch seine innere Stimme bestimmt wurde: das Korrespondieren der Ausdrucksmittel mit der inneren [43] Notwendigkeit ist das Wesen des Schönen eines Werkes. Die Überzeugungskraft der Schöpfung, die vollkommen von diesem Korrespondieren abhängig ist, zwingt schließlich den Zuhörer trotz den neuen Mitteln die Schönheit des Werkes anzuerkennen. Wenn wir diesen Standpunkt zum Prinzip unserer Urteile erheben, so beseitigen wir dadurch die Schwierigkeiten der künstlerischen Wertung der Musikanarchisten unserer Zeit, d. h. der Komponisten, die bei dem Ausdruck ihres künstlerischen »Ich« keine äußeren Grenzen kennen und nur der inneren Stimme gehorchen[1].

So ist jeder beliebige Zusammenklang, jede beliebige Folge der Tonkombinationen möglich. Und doch gerade hier stoßen wir auf die große Frage, welche nicht nur der Musik allein, sondern jeder Kunst eigen ist. Alle Mittel sind gleichberechtigt; werden sie aber in ihrer Summe die gewünschte Wirkung auf *das* Sinnesorgan ausüben, welches zum Gebiete dieser Kunst gehört? Anders gesagt: Können die Empfindungsgesetze unserer Sinnesorgane unüberwindliche Schranken der absoluten Freiheit in der Mittelwahl aufstellen? Diese Gesetze sind oft unbesiegbar. Das Überschreiten derselben führt, wie man es oft beobachten kann, zu dem Übergewicht der nebensächlichen Teile des Werkes, wodurch das Haupt-

---

[1] Es ist angebracht, hier zu bemerken, daß die Anwendung neuer Mittel selbstverständlich kein genügender Maßstab des künstlerischen Wertes ist und daß andererseits trotz unserem Drang zu neuen Mitteln auch heute ein hochkünstlerisches Werk entstehen kann, welches die Grenzen der klassischen Formen nicht überschreitet.

A. Macke

element zum Schweigen gebracht wird. Dies geschieht durch einen geheimnisvollen Kampf der gemeinsam angewendeten Mittel, welches eine Interferenz der [44] gemeinsamen Wirkung der Mittel auf unsere Sinnesorgane verursacht. Wollen wir z. B. annehmen, daß es dem Komponisten notwendig ist, den Zuhörer durch einen gewissen sonderbaren Zusammenklang zu erschüttern. Es ist klar, daß zum Erreichen dieses Zweckes eine Reihe anderer, dem Hauptzusammenklang entgegengesetzter Zusammenklänge notwendig vorhergegangen sein müssen, sonst würde unser Ohr durch Anwendung unserem Zweck gleichartiger Mittel an diese Art Mittel gewöhnt und dadurch nicht mehr imstande sein, auf die notwendige Kombination stark zu reagieren.

Mich erwartet die Erwiderung: man darf sich nicht auf unsere Sinnesorgane verlassen, sie sind nicht vollkommen; sie sind außerdem von vornherein unbewußt an bestimmte Formeln gewöhnt, die wir für Axiome halten; anderseits wird das Gehör wie alles

Baldung-Grien: Holzschnitt

A. Bloch

in der Welt entwickelt: das, was dem Musiker zu alten Zeiten als etwas Falsches vorkam, ist für das gegenwärtige Ohr ein Wohlklang.

Darauf möchte ich folgendes erwidern: ebenso wie alles ganz unzweifelhaft sich entwickelt und verschiedenen Änderungen unterliegt, wie alles zu seinem Ideal, zu einem unendlich weit entfernten Punkt strebt, ebenso werden sich auch die Gesetze unseres Gehörs unendlich entwickeln und vervollkommnen. Unzweifelhaft sind aber die Keime der künftigen idealen Gehörfunktionen schon in unserem gegenwärtigen Ohr vorhanden, und die Gesetze des idealen Gehörs werden trotz ihrer großen Entfernung von unseren Zeiten doch im Grunde mit den Gesetzen unseres gegenwärtigen Gehörs verwandt sein. Andererseits [45] ist oft das, was wir zum Gesetz unseres Gehörs erheben, in Wirklichkeit kein Gesetz: oft haben sich die Theoretiker beim Untersuchen dieser Gesetze nicht an den Herrn auf diesem Gebiete gewendet, d. h. an unser Ohr, sondern an seinen Nachbarn, die Vernunft, die auf künstlerischem Gebiete leider nicht immer kompetent ist. Dies führte oft zu sehr traurigen Folgen, deren schwere Hand sich im Laufe ganzer Epochen der musikalischen Entwicklung spüren ließ. Man braucht sich nur an die Zeiten erinnern, als die Sexten und Terzen von Theoretikern für unerlaubte Mißklänge gehalten wurden. Allerdings zeichnet sich auch unsere Zeit nicht durch tiefe Kenntnisse der Gesetze unseres Ohres aus, was durch die vollkommene *Unzuverlässigkeit* der gegenwärtigen Musiktheorie in bezug auf neue Mitklänge im Laufe der letzten zehn Jahre zu beweisen ist. Diese Unzuverlässigkeit kann aber den Glauben an neue Untersuchungen auf dem Gebiete der Gehörgesetze nicht umstürzen, da diese Gesetze zweifellos existieren.

Hier gelangen wir zu dem Gordiasknoten, es fragt sich: geht unsere innere Stimme in ihrer schöpferischen Kraft unfehlbar Hand in Hand mit den wirklichen Gesetzen unserer Sinne (in unserem Fall – des Ohres), oder übersetzt unsere unbewußte schöpferische Kraft manchmal nicht vollkommen klar unsere Bestrebungen in die Sprache unserer Gefühle, und ist hier zur vollkommenen klaren Übersetzung die bewußte Hilfe der Sinnesgesetze notwendig oder nicht? Mir scheint das Eingreifen des bewußten Elementes notwendig, sogar unbedingt notwendig, aber natürlich in den Grenzen der Bereicherung der schöpferischen [46] Mittel, d. h. soweit dieses bewußte Element neue Möglichkeiten eröffnet, neue Welten entdeckt. Hier liegt die große Zukunft der kommenden Theorie der Musik und ebenso der anderen Künste, die nicht das trockene »man darf« oder »man darf nicht« verkünden wird, son-

E. Heckel

dern sagen wird: »in diesem Fall darf das eine, das andere oder noch ein anderes Mittel angewendet werden«, und diese Mittel werden vielleicht den früheren verwandt sein, und doch werden sie möglicherweise viel stärkere Möglichkeiten offenbaren als die, welche uns durch das unbewußte Gefühl allein zur Verfügung gestellt werden.

Es soll also das Prinzip der Anarchie in der Kunst begrüßt werden. Nur dieses Prinzip kann uns zur strahlenden Zukunft, zur neuen Wiedergeburt führen. Es soll aber auch die neue Theorie den weiteren kühnen Pfadsuchern nicht den Rücken drehen. Vielmehr soll sie die Kunst, indem sie die wahren Sinnesgesetze entdeckt, zur noch größeren bewußten Freiheit, zu anderen neuen Möglichkeiten führen. [47]

Russisches Volksblatt

Griechisch

Die Kompositionsmittel bei Robert Delaunay

von E. v. Busse

Delaunays Bilder erscheinen demjenigen, der sie unvorbereitet sieht, vielleicht bizarr oder mindestens rätselhaft. Daß an diesem Eindruck jedoch nicht die Bilder, sondern die Voreingenommenheit oder ein auf anderes Kunsterkennen gerichteter Sinn des Beschauers schuld ist, wird hier nachzuweisen versucht, indem die Bilder nicht »kritisch« besprochen, sondern die Absichten des Künstlers, die Ideen, die er in seinen Schöpfungen zum Ausdruck bringt, analysiert werden. Es wird hier der Versuch gemacht, die Arbeit der Ideengestaltung, die der Künstler durch *sein* Ausdrucksmittel, die Malerei, geleistet hat, mit Hilfe der Umgangssprache zu wiederholen, um durch dieses dem Publikum geläufigere Mittel eine Art »Interpretation« zu geben. Delaunay selbst gibt uns diese Interpretation nicht. Er ist Maler und in seiner Tätigkeit so konzentriert, daß diese sein ganzes Ausdrucksvermögen absorbiert und ihm keine Möglichkeit läßt, sich auf andere Weise auszudrücken.

Was auf den ersten Blick eine Beschränkung scheint, wird hier zur [48] Kraft, und so finden seine Ideen in der Malerei ihre natürlichste und zugleich vollkommenste Realisierung.

Delaunay war nicht von jeher abstrakter Künstler. Seine erste Tätigkeit beschränkte sich auf einfache Wiedergabe der äußeren Natur. Er schuf sich damit einen gewissen Fonds, der ihn gegen spätere technische Schwierigkeiten festigte. Seine eigentliche künstlerische Entwicklung setzt erst ein, als er fähig geworden, sein von der Natur gegebenes Talent zu disziplinieren und es in den Dienst seines Ausdruckswillens zu stellen. Die der farbigen Organisation nicht gleichwertige lineare Behandlung seiner ersten Bilder, die trotz der farbigen Effekte flach und leblos wirken, brachten ihn auf perspektivische und Raumprobleme. Gleichzeitig vertiefte sich sein Empfindungsleben, und er erkannte seine künstlerische Mission in der Darstellung dessen, was er aus der sich ihm darbietenden Natur heraus*fühlt,* d. h. in dessen Sichtbarmachung in einer auch den anderen Menschen faßbaren Form. Sein Ziel ist nicht mehr die Nachahmung und Wiedergabe der gegenständlichen Natur, sondern die Verkörperung der ihm bei der Naturbetrachtung gekommenen Idee.

Diese Gestaltung ist Neuschöpfung und bedingt als solche das Schaffen einer neuen, die Idee charakterisierenden *Art* des Ausdrucksmittels. Das Suchen nach der Art, seine Ideen sinngemäß und bis ins kleinste Detail der Maltechnik konsequent auszudrücken, ist das Leitmotiv durch den Entwicklungsgang des Künstlers. Das Formale tritt damit zunächst in den Vordergrund. Das Sujet spielt eine absolut untergeordnete Rolle, aber es steht zu der in ihm zum Ausdruck gebrachten Idee in engem Bezug, da der Künstler immerhin das wählt, was die Idee am einfachsten zu geben imstande ist.

Das erste Stadium dieses Entwicklungsganges kennzeichnet das Bild: »St. Séverin«. Die Absicht des Künstlers ist es, den Blick des

Delaunay: St. Séverin

Beschauers auf den Bildmittelpunkt zu konzentrieren. Er erreicht es nicht durch inhaltliche oder gegenständliche Mittel (nach dem betreffenden Punkte hinstrebende bewegte Körper), sondern durch eine entsprechende Raumdynamik, die durch sinngemäße Verteilung und Korrespondenz von Farben sowie der Bewegungstendenz entsprechende Kurven gegeben ist. Delaunay geht auf Delacroix' Gemälde: »Die Eroberung Konstantinopels durch die Kreuzfahrer« oder genauer auf die viel freier aufgefaßte Skizze hierzu zurück, in der die Raumdynamik auch durch die latente Bewegung der Massen, nicht durch die in Bewegungsposen fixierten Körper gegeben ist und in der sämtliche Linien – z. B. auch die Straßen der im Hintergrund sichtbaren Stadt – auf diese Bewegung eingestellt sind. Während aber Delacroix durch die Betonung des gegenständlichen Inhalts dieses Bildes gezwungen war, Konzessionen an historische [49] wie dekorative, also außerkünstlerische Anforderungen zu machen, bleibt Delaunay in der radikalen Durchführung seines Bewegungsmotives konsequent. Eine Inkonsequenz in dem Bilde aber liegt darin, daß er neben diesen nur der Gestaltung seiner Idee dienenden Faktoren noch die Natur teilweise in einfacher Imitation wiedergibt, also gleichzeitig ein [50] Abbild des physischen Eindrucks der Kirche darstellt. Der so dem Beschauer noch deutlich erkennbare, das Äußere der Naturerscheinung ohne Abstraktion wiedergebende Inhalt, das »Sujet« des Bildes, dient nicht der Idee, sondern stört sie, verwirrt den Beschauer und hält ihn von der reinen Erfassung der Darstellung dieser Idee ab. Das Bild wird daher der Mehrzahl der Beschauer nur als ein verzerrtes Naturabbild erscheinen.

Um diese störende Ablenkung von der Hauptidee zu beheben, erscheint als logische Fortsetzung des begonnenen Gestaltungsganges die Vermeidung der imitativen Wiedergabe der äußeren Natur und deren Ersatz durch Faktoren, die nur das latente Gesetz der Natur wiedergeben. Die Gestaltung dieses Gesetzes soll – analog etwa zu dem in der Umgangssprache angewandten »entlehnten Begriff« – im Beschauer ein dem Natureindruck korrespondierendes Gefühl erwecken. In seinem »Eiffelturm« versucht der Künstler dieses Problem zu lösen. Er zerstört zu diesem Zwecke das optische Bild des Natürlichen, zerlegt es in kleine Teile, deren Größe, Farbe und Anordnung wieder in den Dienst der bereits angewandten Raumdynamik treten. Der Künstler ist jedoch auch auf dieser Entwicklungsstufe noch insofern inkonsequent, als er in den einzelnen Teilchen des zerlegten Naturbildes noch Fragmente des optischen Naturbildes gibt, die jedes für sich eine Imitation der Natur darstellen. Er wagt noch nicht, die letzten Konsequenzen zu ziehen. Es kommt darauf an, diese Teilchen so zu gestalten, daß sie technisch durch andere Mittel dargestellt werden.

In seinem die nächste Entwicklungsstufe charakterisierenden Bilde: »Die Stadt«, erscheint dieses neue Mittel in Gestalt des geometrischen Kubus. In diese Form werden alle äußerlich bestehenden aufgelöst, d. h. übertragen. Nicht gelöst ist hier das Problem der Raumdynamik. Der Rhythmus der latenten Bewegung begreift noch nicht alle Bewegungs*richtungen* in sich. Auch beeinträchtigt die dominierende Höhenbewegung die Ausgeglichenheit sämtlicher Bewegungen. Es fehlt noch ein völliges Äquilibrieren aller Faktoren.

Die Lösung dieses Problems gelingt in der Wiederholung der »Stadt«. Unter Beibehaltung des technischen Mittels der Kuben erfolgt hier die Weiterentwicklung durch Ausgleichen sämtlicher Bewegungsrichtungen. Der Tiefen- und Höhenbewegung wird eine entsprechende Breitenbewegung sowie eine kreisende und schließlich eine konzentrische entgegengesetzt. Durch die konzentrische Bewegung erhält das Bild den Wert eines abgeschlossenen, allein für sich bestehenden Ganzen – im Gegensatz zu dem ohne sie nur vorhandenen fragmentarischen Ausschnitt aus dem Raume, der über den Bildrahmen hinaus beliebig erweitert werden könnte.

Delaunay: La fenêtre sur la ville

Die konzentrische Bewegung ist erreicht durch stärkere Brechung sämtlicher Linien, je mehr sie sich dem Bildmittelpunkt nähern, also durch Verkleinerung der Kuben. Die farbige Behandlung unterstützt die durch die lineare Konstruktion gegebene Raumdynamik dadurch, daß die Anordnung der Farbtöne dem Beschauer die Bewegungen ebenfalls suggeriert. [51]

Mit der zweiten »Stadt« dürfte Delaunays *formale* Entwicklung eine Stufe erreicht haben, auf der er zunächst haltmachen kann. Er wird die erworbenen Erfahrungen auch für andere Aufgaben der Malerei nutzbar machen können. Hat ihm bisher die »Landschaft«, oder sogar nur ein bestimmter Teil derselben zur Veranschaulichung seiner Ideen gedient, so ist er nun bestrebt, diese Ideen: die innere Gesetzmäßigkeit alles Bestehenden und deren ebenso subjektive Erfassung wie Wiedergabe auf alles das auszudehnen, was das Auge und der Sinn zu erfassen vermag. [52]

Eugen Kahler

Am 13. Dezember 1911 ist Eugen Kahler, kaum 30 Jahre alt, in Prag gestorben. Der Tod hat ihn zart in seine Arme genommen, ohne Leiden, ohne das Grauenhafte und oft Häßliche. Man möchte sagen: Kahler starb biblisch.

Und so entsprach der Tod Kahlers seinem Leben.

Er war am 6. Januar 1882 in Prag in einer wohlhabenden Familie geboren. Er besuchte fünf Jahre das Gymnasium und dann die Handelsakademie, was uns heute beinahe unglaublich erscheint: so weit stand Kahler seelisch vom Praktischen und so tief lebte er in seinem Traumlande. Schon 1902 sollte er als Kunstschüler nach München gehen, erkrankte aber an einer Nierenentzündung und wurde in Berlin operiert. Nach diesem ersten drohenden Anpochen seiner Krankheit konnte Kahler sich doch vollständig dem Kunststudium widmen. Zwei Jahre in der Knirr-Schule, ein Jahr auf der Münchener Akademie bei Franz Stuck, ein Jahr Unterricht bei Habermann, und Kahler fühlte sich stark genug, allein seinen Weg zu suchen.

Seine innere Stimme war so klar, deutlich und präzis, daß er sich vollkommen auf ihre Führung verlassen konnte. Eine Reihe von Reisen in verschiedenen Ländern (Paris, Brüssel, Berlin, London, Ägypten, Tunis, Italien, Spanien) war in Wirklichkeit nur immer dieselbe Reise in demselben Land. In derselben Welt, die man Kahler-Welt nennen muß. Hier und da trat wieder dieselbe Krankheit auf, und Kahler mußte manchmal wochenlang im Bett bleiben. Er blieb aber vollkommen derselbe: im Liegen zeichnete und malte

E. Kahler

er seine Träume, las sehr viel und führte sein merkwürdig inten-
sives inneres Leben weiter. [53] So entstanden z. B. in London
viele echt kahlersche Aquarelle, die allein ein genügendes Resultat
eines Künstlerlebens sein könnten. Ebenso war es im Winter 1911
in München, wo er mit Fieber im Sanatorium liegend wieder eine
lange Serie wunderbarer Aquarelle malte. So ging es dann weiter:
von einem Sanatorium zum anderen reisend, bis zum letzten Atem-
zug blieb Kahler sich treu. Und sein Tod war schön, wie sein Leben.

Die zarte, träumerische, heitere Seele Kahlers mit etwas rein
hebräischem Beiklang – der unstillbaren mystischen Trauer; hatte
nur vor einem Angst: vor dem »Unnoblen«. Und seine durch und
durch *vornehme* Seele schien in unsere Tage nicht zu gehören. Es
schien, daß diese Seele geheimnisvoll mit verborgenem Zweck aus
den biblischen Zeiten [54] in unsere Zeiten gesandt wurde. Es
schien, daß eine gütige Hand sie wieder von unseren Zeiten be-
freien wollte.

E. Kahler

Kahler hat zahlreiche Ölbilder, Aquarelle, Zeichnungen, Radierungen hinterlassen.

In München hatte er eine kleine Kollektivausstellung vor etwa anderthalb Jahren in der »Modernen Galerie« Thannhauser gehabt, die auf die gewohnte Weise von der Kritik von oben herab und mit belehrenden Weisungen empfangen wurde.

Eine große Zahl tief erlebter Gedichte wurde nach seinem Tod gefunden, von denen er nie sprach. [55]   K.

Cézanne: Stilleben

Prometheus von Skrjabin

von L. Sabanejew

Es ist schwer, bei der Analyse des Skrjabinschen Schaffens die einzelnen Gestaltungen desselben von der allgemeinen Idee, der endgültigen »Kunstidee«, die jetzt dem Bewußtsein des Komponisten vollkommen klar geworden ist, zu trennen. Das ist die Kunstidee als ein gewisser mystischer Vorgang, der zum Erreichen eines ekstatischen Erlebnisses dient – der Ekstase, dem Sehen in höheren Plänen der Natur. Wir sehen eine logische Entwicklung dieser Idee von Skrjabins erster Symphonie bis zum Prometheus. In der ersten Symphonie – ein Hymnus der Kunst als Religion, in der dritten – die Befreiung des Geistes von Ketten, Selbstbehauptung der Persönlichkeit, ein Poem der Ekstase – Freude des freien Vorganges, die Schaffensekstase. Dies alles sind verschiedene Entwicklungsstadien einer und derselben Idee, welche die vollkommene Verkörperung im Skrjabinschen Mysterium finden soll – in grandiosem Ritualvorgang, in welchem zum Zweck des ekstatischen Aufschwunges alle Erregungsmittel, alle »Sinnenliebkosungen« (anfangend mit Musik bis zum Tanz – mit Lichtspielen und Symphonien von Düften) ausgenützt werden. Wenn man tief in das Wesen der mystischen Kunst von Skrjabin eindringt, wird es klar, daß man weder Grund noch Recht hat, diese Kunst ausschließlich mit Musik abzugrenzen. Die mystisch-religiöse Kunst, die dem Ausdruck der sämtlichen geheimen Fähigkeiten des Menschen, dem Erreichen der *Ekstase* dient, brauchte immer und von jeher *alle*

Deutsch

Benin

Mittel zur Wirkung auf die Psyche. Dasselbe entdecken wir z. B. in unserm gegenwärtigen Gottesdienst – dem Sprößling der antiken mystischen Ritualvorgänge; hat sich in diesem Falle, wenn auch in kleinerem Maßstabe, die Idee der Vereinbarung der Künste in eins [57] nicht konserviert, sehen wir hier nicht die Musik (Gesang, Glockenklänge), plastische Bewegungen (das Knien, das Ritual der priesterlichen Handlung), Spiel der Düfte (Weihrauch), Lichtspiel (Kerzen, die allgemeine Beleuchtung), Malerei? – Alle Künste haben sich hier vereinigt zu einem harmonischen Ganzen, zu einem Ziel – dem religiösen Aufschwung.

Dieser Aufschwung kommt zustande trotz der Einfachheit der sämtlichen hier gebrauchten Mittel: von den sämtlichen Künsten, die heute in der Kirche gebraucht werden, ist die Musik allein zu einer großen, ausgesprochenen Entwicklung gekommen; die übrigen Teile sind schwach, beinahe atrophiert. Die einzelnen Zweige der Künste haben sich seit der Zeit der antiken religiösen Handlungen selbständig gemacht und erreichten getrennt eine verblüffende Vollkommenheit. In erster Linie haben die Musik und die Wortkunst die höchste Entwicklung erreicht; in der allerletzten Zeit fingen die Bewegungskunst und die Kunst des reinen Lichtspieles – Symphonie der Farben – an, sich zu entwickeln. Die Versuche, die Bewegungskunst zu beleben, treffen wir heute immer öfter, und die Art mancher Neuerer in der Malerei kann man gar nicht anders bezeichnen als eine Annäherung der Malerei zum reinen Farbenspiel.

Es ist die Zeit der *Wiedervereinigung* dieser sämtlichen zerstreuten Künste gekommen. Diese Idee, die unklar schon von Wagner formuliert wurde, ist heute viel klarer von Skrjabin aufgefaßt. Alle Künste, von denen jede eine enorme Entwicklung erreicht hat, müssen, in einem Werk vereinigt, die Stimmung eines so titanischen Aufschwunges geben, daß ihm *unbedingt* eine richtige Ekstase, ein richtiges Sehen in höheren Plänen folgen muß. [58]

W. Burljuk: Landschaft

Es sind aber nicht alle Künste in dieser Vereinigung gleichberechtigt. Die Künste, die die unmittelbar sich den Willensimpulsen unterordnende Substanz als Material haben, d. h. die fähig sind, den Willen unmittelbar zum Ausdruck zu bringen – diese Künste werden dominieren (Musik, Wort, plastische Bewegung). Die Künste aber, deren Material von den Willensimpulsen nicht abhängt (Licht, Duft), bleiben untergeordnet: ihre Bestimmung ist Resonanz, um den durch die Hauptkünste hervorgebrachten Eindruck zu verstärken. Dies sind die Künste, die bis jetzt unentwickelt blieben, was auch vollkommen klar ist, da, wie gesagt, sie zu selbständiger Existenz ohne Mitwirkung der Hauptkünste nicht fähig sind.

Solange aber die Idee des »Mysteriums«, d. h. die Idee im ganzen, noch nicht verkörpert ist, ist der Versuch einer *teilweisen* Vereinigung der Künste (wenn auch fürs erste von nur zwei Künsten) angebracht. Einen solchen Versuch macht Skrjabin in seinem Prometheus: er vereinigt die Musik mit einer der »begleitenden« Künste, mit »Farbenspiel«, wobei das letztere, wie auch zu erwarten ist, eine sehr untergeordnete Stellung hat. Die Farbensymphonie des Prometheus ruht auf dem Prinzip der korrespondierenden [59] Klänge und Farben, über welche wir schon in der »Musik« gesprochen haben[1]. Jede Tonart hat eine korrespondierende Farbe; jeder Harmonienwechsel hat einen korrespondierenden Farbenwechsel. Dies alles ruht auf der Farbenklangintuition, über welche A. N. Skrjabin verfügt. Im Prometheus ist die Musik von der Farbenharmonie beinahe untrennbar. Diese sonderbaren schmeichelnden und zur selben Zeit tief mystischen Harmonien sind in diesen Farben entstanden. Der durch die Musik verursachte Eindruck wird durch dieses Farbenspiel unbeschreiblich verstärkt; hier wird das Tieforganische dieser Skrjabinschen »Laune« und ihre ganze ästhetische Logik klar.

Wir wollen die musikalische Seite des Prometheus untersuchen. In der »Musik«[2] habe ich schon Gelegenheit gehabt, darauf auf-

---

[1] In diesem Artikel (»Musik«, Moskau, Januar 1911, Nr. 9, S. 199) sagt *Sabanejew:* die musikalischen Farbenempfindungen Skrjabins können gewissermaßen eine Theorie darstellen, die allmählich das Bewußtsein des Komponisten selbst zu erreichen anfangen. Da ist die Tabelle:

C.	Rot	*Fis.*	Blau, grell
G.	Orange-rosa	*Des.*	Violett
D.	Gelb	*As.*	Purpur-violett
A.	Grün	*Es.* ⎫	Stahlartig mit
E.	Blau-weißlich	*B.* ⎭	Metallglanz
H.	ähnlich dem *E*	*F.*	Rot, dunkel

Bei Verteilung dieser Töne auf den Quintenkreis springt die Regelmäßigkeit ins Auge. Die Farben verteilen sich beinahe vollkommen der Spektralordnung entsprechend, indem die Abweichungen nur im Sinne der Gefühlsintensität zu konstatieren sind (z. B. E-dur — Mondweißlich). Die Töne *Es* und *B* finden im

merksam zu machen, daß der Prometheus eine Kristallisation des Skrjabinschen Stils der letzten Periode darstellt. Seit dem ersten Kompositionsversuch suchte Skrjabin ununterbrochen nach jenen Mitklängen, nach jenen [60] mystischen Klängen, welche seine Ideen verkörpern können. Einem Kenner seines Schaffens fällt es nicht schwer, die Evolution der spezifisch Skrjabinschen Harmonie von dem ersten Werke bis zum Prometheus zu verfolgen. Diese Evolution ging auf einem rein intuitiven Weg vor sich. Erst in seinem letzten Werk sind die harmonischen Prinzipien, welche er schon früher unbewußt benützte, seinem Bewußtsein klar geworden. Es ist unmöglich, darin die Äußerung der verblüffenden Eigenschaften der musikalischen Intuition nicht zu sehen. Ist es denn nicht wunderbar, daß die von Skrjabin zu verschiedenen Zeiten unbewußt gebrauchten Harmonien, die er ohne jede »theoretische« Absicht zu finden verstand – daß diese sämtlichen Elemente plötzlich sich einer strengen Gesetzmäßigkeit unterordneten, sich in Grenzen einer bestimmten Tonleiter, eines bestimmten musikalischen Prinzips finden ließen. Da ist diese Tonleiter, welche aus sechs Klängen besteht, und ebenso die Grundharmonie, bestehend

Spektrum keinen Platz; nach Skrjabin haben diese Töne eine unbestimmte Farbe, aber ein ausgesprochen präzises Metallkolorit. – Dieses Farbenentsprechen wurde von Skrjabin in seinem »Prometheus« gebraucht. Diejenigen, welche den »Prometheus« mit entsprechenden Lichteffekten gehört haben, mußten eingestehen, daß der musikalische Eindruck tatsächlich vollkommen durch die entsprechenden Beleuchtungen gedeckt wurde und durch dieselben eine verdoppelte Kraft bekam und bis zur letzten Steigerung gebracht wurde. Und dies trotz des sehr primitiven Beleuchtungsapparates, welcher die Farben nur ganz annähernd lieferte! Zum Schluß bemerkt Sabanejew, daß dieses Problem der Farbenklänge »ausschließlich durch minutiöse Untersuchungen, d. h. durch das Sammeln des rein-statistischen Materials und dessen Bearbeitung«, zu lösen ist, was durch die »nicht mehr entfernte Zukunft« auch gemacht wird (S. 200).

[2] Siehe Nr. 1 der in Moskau erscheinenden Zeitschrift »Musik«.

Paul Gauguin: Holzrelief

tikes Relief

aus den sechs Klängen dieser Tonleiter mit der Verteilung derselben nach den Quarten.

In dieser Harmonie und bei dieser Verteilung derselben läßt sich die größte Mannigfaltigkeit der Intervalle beobachten: die reinen Quarten *e–a, a–d,* die übermäßigen Quarten *c–fis, b–e* und die verminderte *fis–b.* Die Tonleiter selbst *c d e fis a b* wird akustisch gerechtfertigt; diese Klänge sind Obertöne der sogenannten harmonischen Reihe der Klänge, d. h. solcher, deren Schwingungen zueinander als eine Reihe sich folgender Zahlen stehen.

1, 2, 3, 4, 5, 6, 7, 8, 9, 10, 11, 12 ...

Die erwähnte Tonleiter (*c d e fis a b*) besteht aus Klängen 8, 9, 10, 11–13, 14, woraus zu schließen ist, daß wir in diesem Falle theoretisch nicht die richtigen *fis a* und *b* finden, die uns bekannten *fis a* und *b,* sondern andere; d. h. sie klingen alle tiefer als bei der temperierten Stimmung.

Den erhaltenen Akkord hält Skrjabin für eine Konsonanz, und tatsächlich ist er eine Ausdehnung des gewohnten Begriffes eines Konsonanzakkordes, d. h. eines Akkordes, welcher keine Auflösung verlangt. [61]

Unser gewöhnlicher Dreiklang ist nur ein Fall dieses Akkordes, ein Fall, welcher durch Auslassen einiger Klänge bestimmt wird:

(ausgelassen *c e b*)	–*d–fis–a–* (dur)
(ausgelassen *b d fis*)	–*a–c–e–* (moll)
(ausgelassen *b d e*)	–*fis–a–c–* (vermindert)
(ausgelassen *c e a*).	–*d–fis–b–* (übermäßig)

In dieser sogar einzeln genommenen Harmonie ohne Zusammenstellung und Entwicklung finden wir eine eigenartig »mystische« Stimmung, etwas, was an den Klang einer tiefklingenden kolossalen Glocke erinnert, und etwas leuchtend Strahlendes, Irritierendes, gehoben Nervöses, wenn diese Harmonie in einer hohen Lage verwendet wird. Diese Harmonie schließt in sich ein bedeutend größeres Element der Mannigfaltigkeit als der gewohnte Dreiklang, welcher nur ein Fall dieser Harmonie ist; es muß aber bemerkt werden, daß diese Mannigfaltigkeit im Prometheus noch bei weitem nicht erschöpft ist. Hier nützt Skrjabin beinahe ausschließlich dieses Harmonieprinzip aus, was zu einem eigenartigen Eindruck führt. Der Zuhörer, der sich in die Welt dieser Harmonien vertieft hat und der ihre »konsonierende« Natur fühlt, fängt an, das ganze Gewebe des Prometheus als etwas in hohem Grade Durchsichtiges zu sehen: es wird klar, daß Prometheus unendlich einfach ist und vollkommen »konsonierend«, so daß hier _keine einzige Dissonanz_ zu finden ist. Das erklärt sich auch dadurch, daß infolge einer großen Anzahl von Klängen in dieser Harmonie der Autor beinahe vollkommen die Wechsel- und durchgehenden Noten vermeiden kann, die in der Harmonie nicht eingeschlossen sind; alle melodischen Stimmen sind auf den Klängen der begleitenden Harmonie gebaut, alle Kontrapunkte sind demselben Prinzip untergeordnet. [62]

Nur diese Tatsache gibt die Möglichkeit – bei dem vollkommenen »Konsonieren« und bei ausschließlicher Durchsichtigkeit des Werkes –, zur selben Zeit fünf bis sechs verschiedene Themata und den thematischen Ursprung der Figuren zu vereinigen. In der ganzen Weltliteratur ist Prometheus das komplizierteste poliphone und zur selben Zeit in seinem Gewebe das durchsichtigste Werk.

Es ist nicht uninteressant, die Evolution der Skrjabinschen Harmonie von seinen frühesten Werken an zu verfolgen.

Schon im Walzer op. 1 (Verlag Jürgenson) gibt es die Harmonie *as fes (as) c ges (ges c fes as),*

in welcher wir ohne Schwierigkeit die Züge des künftigen ekstatischen Skrjabin erkennen. Hier fehlen nur zwei Noten bis zur Harmonie des Prometheus, d. h. *b* und *es.*

Nach einer ziemlich langen Zeit, zur Zeit der zweiten Symphonie, der dritten Sonate, erschienen diese Harmonien wieder, wenn auch noch immer nicht vollzählig, d. h. in der Form des sogenannten Nonakkordes mit übermäßiger (oder verminderter) Quinte. In diese Form geht der Skrjabinsche Akkord in die Tonleiter der Ganztöne, wenn auch sein organischer Ursprung weit von der Ganztonskala steht.

Dieser Akkord fängt an in der Musik Skrjabins zur Periode der dritten Symphonie zu »dominieren«, als er im Laufe eines Sommers annähernd 40 kleine Werke komponiert hatte, einschließlich der »tragischen« und »satanischen« Poeme, der Poeme op. 32, der vierten Sonate. Hier erscheint die Harmonie des Prometheus in vollem Maß zum erstenmal, z. B. in »Préludes« op. 37 Nr. 2 (der sechste Takt):

gis fis ais his eis cisis.

Diese volle Form finden wir aber doch nicht sehr oft in dieser Periode. Öfter in der letzten Phase (Poem der Ekstase, fünfte Sonate).

Im Poem der Ekstase erscheint die synthetische Harmonie im Augenblick des Kulminationspunktes (Seite 41 der Partitur):

es a fis c g b (es g).

In der fünften Sonate, die harmonisch dem Prometheus näher steht als die Ekstase, finden wir sie im zweiten Thema; in »Fragilité« und anderen kleinen Werken der letzten Zeit erscheint sie sehr oft. Aber ihre konsequente und volle Durchführung beobachten wir nur im Prometheus.

Mit ihr beginnt das Prometheus-Poem des schöpferischen Geistes, welcher, schon frei geworden, frei die Welt schafft. Das ist eine

E. Nolde

Art symphonischen Konspektes des Mysteriums, worin die Mitwirkenden gezwungen werden, die ganze Evolution des schöpferischen [63] Geistes mit zu erleben, wo die Teilung in empfangende, passive und in kunstschöpfende Menscheninterpreten fallen wird. Diese Teilung ist im Prometheus noch zu beobachten: er hat die gewohnte Form einer Symphonie, die von Orchester und Chor ausgeführt wird. In einer blaulila Dämmerung erklingt die mystische Harmonie, bei dem Flattern derselben klingt das Hauptthema (1) in den Waldhörnern:

[64]

119

Entwurf zu KOMPOSITION NR. 4 von Kandinsky
[In Originalausgabe farbig]

Bei diesen Klängen entsteht die grandiose Idee des ursprünglichen Chaos, in welchem zum erstenmal der Wille des schöpferischen Geistes erklang (Thema 2):

Unten bringe ich die Hauptthemata des Prometheus, aus welchen der Komponist sein Orchestergewebe schafft.

[65]

[66]

Seine »einzige« Harmonie hat die Fähigkeit, die mannigfaltigsten Nuancen zu enthalten, mit mystischem Schreck anfangend und mit strahlender Ekstase und schmeichelnder Erotik endend. Ich behaupte, daß *noch nie* ein derartiger Schreck in der Musik geklungen hat wie in den tragischen Episoden des Prometheus, daß noch nie, in keinem Werk ein derartig berauschender Aufschwung gehört wurde wie vor dem Schluß [67] dieses Werkes, ein Aufschwung, vor welchem der Schluß der »Ekstase« verblaßt. Der Idee des Komponisten gemäß wird der ganze Saal zu dieser Zeit von einem blendenden Strahlen erfüllt, alle Kräfte des Orchesters und des Chors werden mobilisiert, das Hauptthema wird auf dem Hintergrunde der breiten Orchester und Orgelharmonien in den Trompeten durchgeführt.

Nach dem allerhöchsten Aufschwung wird alles plötzlich still, das Licht löscht aus; in der lila Dämmerung sind die Klänge eines ekstatischen, berauschenden Tanzes hörbar, es kommen Lichteffekte, das Zauberspiel der Klangelemente, spritzende, »lichtbringende« Klavierpassagen auf dem Hintergrund der zischenden Becken. Noch ein Aufschwung, und das Orchester wird wieder durch ein Meer von Klängen erfaßt, welche im Schlußakkord zusammenschmelzen. Dieser Akkord ist der einzige vom Komponisten im ganzen Werk gebrauchte »Dreiklang«. [68]

Die freie Musik

von N. Kulbin

Die Thesen der freien Musik

Die Musik der Natur – das Licht, der Donner, das Sausen des Windes, das Plätschern des Wassers, der Gesang der Vögel – ist in der Auswahl der Töne frei. Die Nachtigall singt nicht nur nach Noten der jetzigen Musik, sondern nach allen, die ihr angenehm sind.

Die freie Musik richtet sich nach denselben Gesetzen der Natur wie die Musik und die ganze Kunst der Natur.

Der Künstler der freien Musik wird wie die Nachtigall von den Tönen und Halbtönen nicht beschränkt. Er benutzt auch die Viertel- und Achteltöne und die Musik mit freier Auswahl der Töne.

Das kann weder das Suchen des Grundcharakters noch die Einfachheit stören noch zu photographischem Ausdruck des Lebens verpflichten, denn das eben erleichtert die Stilisation.

Anfangs werden die Vierteltöne eingeführt. (Dieselben wurden schon im Altertum als »enharmonische Art« gebraucht, als der Mensch noch stark an ursprünglichen Instinkten war. Sie bestehen noch bis jetzt in der alten Musik der Hindu.) [69]

M. Pechstein

Der Vorzug der freien Musik

Neuer Genuß der ungewohnten Zusammensetzung der Töne.
Neue Harmonie mit neuen Akkorden.
Neue Dissonanzen mit neuen Lösungen.
Neue Melodien.
Die Auswahl der möglichen Akkorde und Melodien wird außerordentlich vergrößert.

Die Kraft der musikalischen Lyrik vergrößert sich, und das ist die Hauptsache, weil die Musik hauptsächlich Lyrik ist. Die freie Musik gibt die größere Möglichkeit, auf den Zuhörer zu wirken und bei ihm seelische Aufregungen hervorzurufen.

Le Fauconnier: L'abondance

Die feinen Zusammensetzungen und Veränderungen der Töne wirken stark auf die Seele des Menschen. [70]

Es vergrößert sich die darstellende Fähigkeit der Musik. Man kann die Stimme des geliebten Menschen wiedergeben, den Gesang der Nachtigall, das Säuseln der Blätter, das zarte und stürmische Geräusch des Windes und des Meeres nachahmen. Man kann die Bewegungen der Seele des Menschen voller darstellen.

Das Studieren und die Anwendung der farbigen Musik wird erleichtert.

Man erhält ein einfaches starkes Mittel, um das Gehör zu üben und zu entwickeln. Solche Übungen sind geradezu notwendig für die Lernenden.

Es offenbart sich eine Reihe bis jetzt unbekannter Erscheinungen: *enge Verbindungen der Töne und die Prozesse der engen Verbindungen.*

Diese Verbindungen der benachbarten Töne der Tonleiter, welche sich nur durch einen Viertelton oder sogar durch geringere Entfernung auszeichnen, können noch enge Dissonanzen genannt werden, aber sie besitzen besondere Eigenschaften, welche die gewöhnlichen Dissonanzen nicht haben.

Die engen Vereinigungen der Töne rufen bei den Menschen ganz ungewöhnliche Empfindungen hervor.

Das Vibrieren der engvereinigten Töne wirkt größtenteils aufregend.

Bei solchen Prozessen sind der ungleiche Schlag, die Interferenz der Töne, die derjenigen des Lichtes ähnlich ist, von großer Bedeutung.

Das Vibrieren der engen Vereinigungen, ihr Gang, ihr mannigfaltiges Spiel geben eine viel leichtere Möglichkeit, das Licht, die Farben und alles Lebende darzustellen, als die gewöhnliche Musik. Leichter ist es auch, lyrische Stimmung zu erzielen.

Durch enge Vereinigungen schafft man auch musikalische Bilder, die aus besonderen Farbflächen bestehen, welche sich in laufende Harmonie verschmelzen, der neuen Malerei ähnlich.

Die Musik der freien Töne

Es ist ein großer Fortschritt in der Musik möglich, wenn der Künstler gar nicht an Noten gebunden ist, sondern beliebige Zwischenräume benutzen kann, zum Beispiel ein Drittel oder sogar ein Dreizehntel Töne usw. [71]

Diese Musik gibt eine volle Freiheit der Inspiration und besitzt die schon obengenannten Vorzüge der natürlichen Musik: sie kann subjektive Erlebnisse darstellen und zu gleicher Zeit die Lyrik der Stimmungen und Leidenschaften sowie Illusionen der Natur hervorrufen.

Die praktische Erfüllung der freien Musik

Die Zuhörer:

Sehr viele irren sich, wenn sie denken, daß sogar die Vierteltöne schwer zu unterscheiden sind. Die Erfahrung zeigt, daß alle Zuhörer leicht die Vierteltöne unterscheiden.

Die Achteltöne werden nicht von allen Zuhörern unterschieden. Desto stärker ist ihr Eindruck, denn die halberkannten und unverständlichen Empfindungen wirken stark auf die Seele des Menschen. [72]

Die Ausführung:

Die Ausführung der freien Musik ist sehr einfach. Wie die Stücke mit Vierteltönen, so kann man auch die Improvisation der freien Noten durch den Gesang, das Spiel auf dem Konterbaß, Cello und einigen Blasinstrumenten, ohne jegliche Veränderung und ohne sie anders zu stimmen, ausführen.

W. Morgner

Die Harfe kann man auf Viertel und andere beliebige Teile der Töne stimmen. Am besten braucht man die »chromatische« Harfe.

Der Gitarre, der Zither, der Balalaika usw. muß man noch Griffe zusetzen.

Das Klavier kann man ebenso stimmen, nur wird dann die Zahl der Oktaven vermindert und die Zeichnung der Klaviatur verliert ihre Bedeutung. Um sich dem zu entziehen, kann man zwei Etagen Saiten und Klaviatur einrichten.

Andere Instrumente sind teils auch leicht anzuwenden und umzuändern.

Zur Untersuchung der Erscheinungen der freien Musik ist es am einfachsten, Glasbecher oder Gläser zu benutzen, indem man dieselben mit Wasser bis zu verschiedenen Höhen anfüllt.

Leicht ist es auch, zu Hause Xylophone zu bereiten.

Das Schreiben der freien Musik:

Das Notensystem bleibt beinahe ohne Veränderung. Die erste

Zeit ist es notwendig, nur die Bezeichnung der Viertel hinzuzufügen.

Die Improvisation der freien Töne kann man vorläufig auf Grammophonplatten niederschreiben.

Außerdem kann man sie wiedergeben in der Form einer Zeichnung mit steigenden und fallenden Linien. [73]

O. Müller

Über die Formfrage

von Kandinsky

ur bestimmten Zeit werden die Notwendigkeiten reif. D. h. der schaffende *Geist* (welchen man als den abstrakten Geist bezeichnen kann) findet einen Zugang zur Seele, später zu den Seelen und verursacht eine Sehnsucht, einen innerlichen Drang.

Wenn die zum Reifen einer präzisen Form notwendigen Bedingungen erfüllt sind, so bekommt die Sehnsucht, der innere Drang, die Kraft, im menschlichen Geist einen neuen Wert zu schaffen, welcher bewußt oder unbewußt im Menschen zu leben anfängt.

Bewußt oder unbewußt sucht der Mensch von diesem Augenblick an dem in geistiger Form in ihm lebenden neuen Wert eine materielle Form zu finden.

Das ist das Suchen des geistigen Wertes nach Materialisation. Die Materie ist hier eine Vorratskammer, aus welcher der Geist das ihm in diesem Falle *Nötige* wählt, wie es der Koch tut.

Das ist das Positive, das Schaffende. Das ist das Gute. *Der weiße befruchtende Strahl.*

Dieser weiße Strahl führt zur Evolution, zur Erhöhung. So ist hinter der Materie, in der Materie der schaffende Geist verborgen.

Das Verhüllen des Geistes in der Materie ist oft so dicht, daß es im allgemeinen wenig Menschen gibt, die den Geist hindurchsehen können. Es gibt sogar viele Menschen, die in einer geistigen Form den Geist nicht sehen können. So sehen gerade heute viele den

Antoni Kayster 1¾ Jahr alt von hier hatte das Unglück, daß gähling mit ihme ꝛ. an einem lehren wagen gespante pferdt schöllig geloffen, und ihnen nach dem sie alles in stück zerissen, daß sattelpferdt bey 300 schritt weit auf dem pflaster, wie auch eben noch so weit auf dem feldt über ꝛ. spitzige schranchen mit solcher gwaltthätigkeit fort geschleppet, daß alles gewaß von dem leib gerissen, in ein und andere orth verwundet, iedoch aber, da die Eltern in diser augenscheinlich und schmerz lichsten todts gefahr der schmerzhafften Mueter durch ein gelübt aufgeopfert, nicht nur allein bey dem leben sonder schier so vill als gar schadenloß und ohne haubtsächliche glid verletzung erhalten würde

Votivbild

»Das Sitzen«

Geist in der Religion, in der Kunst nicht. Es gibt ganze Epochen, die den Geist ableugnen, da die Augen der Menschen im allgemeinen zu solchen Zeiten den Geist nicht sehen können. So war es im 19. Jahrhundert, und so ist es im großen und ganzen noch heute.

Die Menschen werden verblendet.

Eine schwarze Hand legt sich auf ihre Augen. Die schwarze Hand gehört dem Hassenden. Der Hassende versucht durch alle Mittel die Evolution, die Erhöhung zu bremsen.

Das ist das Negative, das Zerstörende. Das ist das Böse. *Die schwarze todbringende Hand.* [74]

Die Evolution, die Bewegung nach vor- und aufwärts, ist nur dann möglich, wenn die Bahn frei ist, d. h. wenn keine Schranken im Wege stehen. Das ist die *äußere Bedingung.*

Die Kraft, die auf der freien Bahn den menschlichen Geist nach vor- und aufwärts bewegt, ist der abstrakte Geist. Er muß natürlich herausklingen und gehört werden können. Der Ruf muß möglich sein. *Das ist die innere Bedingung.*

Diese beiden Bedingungen zu vernichten, ist das Mittel der schwarzen Hand gegen die Evolution.

Die Werkzeuge dazu sind: die Angst vor der freien Bahn, vor der Freiheit (Banausentum) und die Taubheit gegen den Geist (stumpfer Materialismus).

Deshalb wird jeder neue Wert von den Menschen feindlich betrachtet. Man sucht ihn zu bekämpfen durch Spott und Verleumdung. Der den Wert bringende Mensch wird als lächerlich und unehrlich dargestellt. Es wird über den neuen Wert gelacht und geschimpft.

Das ist der Schreck des Lebens.

Die Freude des Lebens ist der unaufhaltsame, ständige Sieg des neuen Wertes.

Dieser Sieg geht langsam vor sich. Der neue Wert erobert ganz allmählich die Menschen. Und wenn er in vielen Augen unzweifelhaft wird, so wird aus diesem Wert, der heute unumgänglich nötig war, eine Mauer gebildet, die gegen Morgen gerichtet ist.

Das Verwandeln des neuen Wertes (der Frucht der Freiheit) in eine versteinerte Form (Mauer gegen Freiheit) ist das Werk der schwarzen Hand.

Die ganze Evolution, d. h. das innere Entwickeln und die äußere Kultur, ist also ein Verschieben der Schranken.

Die Schranken vernichten die Freiheit, und durch dieses Vernichten verhindern sie das Hören der neuen Offenbarung des Geistes.

Die Schranken werden ständig aus neuen Werten geschaffen, die die alten Schranken umgestoßen haben.

So sieht man, daß im Grunde nicht der neue Wert das wichtigste ist, sondern der Geist, welcher sich in diesem Werte offenbart hat. Und weiter die für die Offenbarungen notwendige Freiheit.

So sieht man, daß das Absolute nicht in der Form (Materialismus) zu suchen ist.

Die Form ist immer zeitlich, d. h. relativ, da sie nichts mehr ist als das heute notwendige Mittel, in welchem die heutige Offenbarung sich kundgibt, klingt.

Der Klang ist also die Seele der Form, die nur durch den Klang lebendig werden kann und von innen nach außen *wirkt*.

Die Form ist der äußere Ausdruck des inneren Inhaltes. [75]

Deshalb sollte man sich aus der Form keine Gottheit machen. Und man sollte nicht länger um die Form kämpfen, als sie zum Ausdrucksmittel des inneren Klanges dienen kann. Deshalb sollte man nicht in *einer* Form das Heil suchen.

Diese Behauptung muß richtig verstanden werden. Für jeden

Henri Rousseau

Künstler (d. h. produktiven Künstler und nicht »Nachempfinder«) ist sein Ausdrucksmittel (= Form) das beste, da es am besten das verkörpert, was er zu verkünden verpflichtet ist. Daraus wird aber oft fälschlich die Folge gezogen, daß dieses Ausdrucksmittel auch für die andern Künstler das beste ist oder sein sollte. [76]

Kinderzeichnungen

Da die Form nur ein Ausdruck des Inhaltes ist und der Inhalt bei verschiedenen Künstlern verschieden ist, so ist es klar, daß es *zu derselben Zeit viel verschiedene Formen* geben kann, die *gleich gut* sind.

Die Notwendigkeit schafft die Form. In großen Tiefen lebende Fische haben keine Augen. Der Elefant hat einen Rüssel. Das Chamäleon verändert seine Farbe usw. usw.

So spiegelt sich in der Form der Geist des einzelnen Künstlers. Die Form trägt den Stempel der *Persönlichkeit.*

Die Persönlichkeit kann aber natürlich nicht als etwas außer Zeit und Raum Stehendes aufgefaßt werden. Sondern sie unterliegt in gewissem Maße der Zeit (Epoche), dem Raum (Volk).

Ebenso wie jeder einzelne Künstler sein Wort zu verkünden hat, so auch jedes Volk, und also auch das Volk, zu welchem dieser Künstler gehört. Dieser Zusammenhang spiegelt sich in der Form und wird durch das *Nationale* im Werk bezeichnet.

Und endlich hat auch jede Zeit eine ihr speziell gegebene Aufgabe, die durch sie mögliche Offenbarung. Die Abspiegelung dieses Zeitlichen wird als *Stil* im Werke erkannt.

Alle diese drei Elemente des Stempels auf einem Werke sind unvermeidlich. Es ist nicht nur überflüssig, für ihr Vorhandensein zu sorgen, sondern auch schädlich, da das Gewaltsame auch hier nichts als eine Vortäuschung, einen zeitlichen Betrug erzielen kann.

Und andererseits wird es von selbst klar, daß es überflüssig und schädlich ist, nur eins der drei Elemente besonders geltend machen zu wollen. So wie heute viele sich um das Nationale und andere wieder um den Stil bemühen, so hat man vor kurzem besonders dem Kultus der Persönlichkeit (des Individuellen) gehuldigt.

Wie im Anfang gesagt wurde, bemächtigt sich der abstrakte Geist erst eines einzelnen menschlichen Geistes, später beherrscht er eine immer größer werdende Anzahl der Menschen. In diesem Augenblick unterliegen einzelne Künstler dem Zeitgeist, welcher sie zu einzelnen Formen zwingt, die einander verwandt sind und dadurch auch eine äußerliche Ähnlichkeit besitzen.

Diesen Moment nennt man eine *Bewegung*.

Sie ist vollkommen berechtigt und (ebenso wie die einzelne Form für einen Künstler) einer Gruppe von Künstlern unentbehrlich. [77]

Und so wie kein Heil in einer Form eines einzelnen Künstlers zu suchen ist, so auch nicht in dieser Gruppenform. Für jede Gruppe ist ihre Form die beste, da sie am besten das verkörpert, was sie zu verkünden verpflichtet ist. Man sollte aber nicht daraus schließen, daß diese Form für alle die beste ist oder sein sollte. Auch hier soll volle Freiheit herrschen, und man soll jede Form gelten lassen, man soll jede Form für richtig (= künstlerisch) halten, die ein äußerer Ausdruck des inneren Inhaltes ist. Wenn man sich anders verhält, so dient man nicht mehr dem freien Geiste (weißer Strahl), sondern der versteinerten Schranke (schwarze Hand).

Also auch hier kommt man zu demselben Resultat, welches oben festgestellt wurde: nicht die Form (Materie) im allgemeinen ist das wichtigste, sondern der Inhalt (Geist).

Also die Form kann angenehm, unangenehm wirken, schön, unschön, harmonisch, disharmonisch, geschickt, ungeschickt, fein, grob usw. usw. erscheinen, und doch muß sie weder wegen den für positiv gehaltenen Eigenschaften noch als negativ empfundenen Qualitäten angenommen oder verworfen werden. Alle diese Be-

Bayerisches Glasbild

griffe sind vollkommen relativ, was man in der unendlichen Wechselreihe der schon dagewesenen Formen auf den ersten Blick beobachtet.

Und ebenso relativ ist also die Form selbst. So ist die Form auch zu schätzen und aufzufassen. Man muß sich so zu einem Werk stellen, daß auf die Seele die Form wirkt. Und durch die Form der Inhalt (Geist, innerer Klang). Sonst erhebt man das Relative zum Absoluten.

Im praktischen Leben wird man kaum einen Menschen finden, welcher, wenn er nach Berlin fahren will, den Zug in Regensburg verläßt. Im geistigen Leben ist das Aussteigen in Regensburg eine ziemlich gewöhnliche Sache. Manchmal will sogar der Lokomotivführer nicht weiter fahren, und die sämtlichen Reisenden steigen in Regensburg aus. Wie viele, die Gott suchten, blieben schließlich bei einer geschnitzten Figur stehen! Wie viele, die Kunst suchten, blieben an einer Form hängen, die ein Künstler für seine Zwecke gebraucht hat, sei es Giotto, Raffael, Dürer oder van Gogh!

Und also als letzter Schluß muß festgestellt werden: nicht das ist das wichtigste, ob die Form persönlich, national, stilvoll ist, ob sie der Hauptbewegung der Zeitgenossen entspricht oder nicht, ob sie mit vielen oder wenigen anderen Formen verwandt ist oder nicht, ob sie ganz einzeln dasteht oder nicht usw. usw., sondern *das wichtigste in der Formfrage ist das, ob die Form aus der inneren Notwendigkeit gewachsen ist oder nicht*[1]. [78]

[1] D. h. man darf nicht aus einer Form eine Uniform machen. Kunstwerke sind keine Soldaten. Eine und dieselbe Form kann also weiter auch bei demselben Künstler einmal die beste, ein anderes Mal die schlechteste sein. Im ersten Fall ist sie auf dem Boden der inneren Notwendigkeit gewachsen, im zweiten – auf dem Boden der äußeren Notwendigkeit: aus dem Ehrgeiz und der Habsucht.

Das Vorhandensein der Formen in der Zeit und im Raum ist ebenso aus der inneren Notwendigkeit der Zeit und des Raumes zu erklären.

Deshalb wird es im letzten Grunde möglich werden, die Merkmale der Zeit und des Volkes herauszuschälen und schematisch darzustellen.

Und je größer die Epoche ist, d. h. je größer (quantitativ und qualitativ) die Bestrebungen zum Geistigen sind, desto reicher in der Zahl werden die Formen einerseits, und desto größere Gesamtströmungen (Gruppenbewegungen) sind zu beobachten, was von selbst klar ist.

Diese Merkmale einer großen geistigen Epoche (die prophezeit wurde und heute in einem der ersten Anfangsstadien sich kundgibt) sehen wir in der gegenwärtigen Kunst. Und zwar:

1. eine große *Freiheit,* die manchem grenzenlos erscheint und die

2. den *Geist* hörbar macht, welchen

3. wir mit einer ganz besonders starken *Kraft* sich in den Dingen offenbaren sehen, welcher

4. alle *geistigen Gebiete* sich allmählich zum Werkzeug nehmen wird und schon nimmt, woraus

5. er auch auf jedem geistigen Gebiete, also auch in der plastischen Kunst (speziell in der Malerei), viele einzelnstehende und Gruppen umfassende *Ausdrucksmittel* (Formen) schafft und

6. welchem heute die ganze Vorratskammer zur Verfügung steht, d. h. es wird *jede Materie,* von der »härtesten« bis zu der nur zweidimensional lebenden (-abstrakten), als Formelement angewendet.

ad 1. Was die Freiheit anlangt, so drückt sie sich aus im Streben zur Befreiung von den schon ihr Ziel verkörpert habenden Formen, d. h. von den alten Formen, im Streben zum Schaffen der neuen unendlich mannigfaltigen Formen.

Arnold Schönberg

ad 2. Das unwillkürliche Suchen nach den äußersten Grenzen
der Ausdrucksmittel der heutigen Epoche (Ausdrucksmittel der
Persönlichkeit, des Volkes, der Zeit) ist andererseits ein Unterord-
nen der scheinbar zügellosen Freiheit, welches vom Zeitgeiste bestimmt wird, und eine Präzisierung der Richtung, in welcher das
Suchen geschehen muß. Der unter einem Glas in allen Richtungen

laufende kleine Käfer glaubt eine unbeschränkte Freiheit vor sich zu sehen. Er stößt aber in einer gewissen Entfernung auf das Glas: sehen kann er weiter, aber gehen nicht. Und die Bewegung des Glases nach vorwärts gibt ihm die Möglichkeit, weiteren Raum zu durchlaufen. Und seine Hauptbewegung wird von der lenkenden Hand bestimmt. – So wird auch unsere sich vollkommen frei schätzende Epoche auf bestimmte Grenzen stoßen, die aber »morgen« verschoben werden. [79]

ad 3. Diese scheinbar zügellose Freiheit und das Eingreifen des Geistes entspringt aus der Tatsache, daß wir in jedem Ding den Geist, den *inneren Klang* zu fühlen beginnen. Und gleichzeitig wird diese beginnende Fähigkeit zu einer reiferen Frucht der scheinbar zügellosen Freiheit und des eingreifenden Geistes.

ad 4. Hier können wir nicht die bezeichneten Wirkungen auf allen anderen geistigen Gebieten zu präzisieren versuchen. Doch soll es jedem von selbst klar werden, daß das Mitwirken der Freiheit und des Geistes früher oder später sich überall abspiegeln wird[1].

ad 5. In der bildenden Kunst (ganz besonders in der Malerei) begegnen wir heute einem auffallenden Reichtum der Formen, die teils als Formen der einzeln stehenden großen Persönlichkeiten erscheinen, teils ganze Gruppen von Künstlern in einem großen und vollkommen präzis dahinwallenden Strom mitreißen.

Und die große Verschiedenheit dieser Formen läßt doch leicht das gemeinsame Streben erkennen. Und gerade in der Massenbewegung läßt sich heute der alles umfassende Formgeist erkennen. Und so genügt es, wenn man sagt: *alles ist erlaubt*. Das heute Erlaubte kann doch nicht überschritten werden. Das heute Verbotene bleibt unerschütterlich stehen. [80]

---

[1] Etwas näher habe ich die Frage in meiner Schrift »Über das Geistige in der Kunst« erörtert (Verlag R. Piper & Co., München).

Henri Rousseau

Und man sollte sich keine Grenzen stellen, da sie ohnehin gestellt sind. Das gilt nicht nur für den Absender (Künstler), sondern auch für den Empfänger (Beschauer). Er kann und muß dem Künstler folgen, und keine Angst sollte er haben, daß er auf Irrwege geleitet wird. Der Mensch kann sogar physisch sich nicht schnurgerade bewegen (die Feld- und Wiesenpfade!) und noch weniger geistig. Und gerade unter den geistigen Wegen ist oft der schnurgerade der lange, da er falsch ist, und der als falsch erscheinende ist oft der richtigste.

Das zum lauten Sprechen gebrachte »Gefühl« wird früher oder später den Künstler und ebenso den Beschauer richtig leiten. Das ängstliche Sichhalten an *einer* Form führt schließlich unvermeidlich in eine Sackgasse. Das offene Gefühl – zur Freiheit. Das erste ist das Folgen der Materie. Das zweite – dem Geiste: der Geist schafft eine Form und geht zu weiteren über.

ad 6. Das auf einen Punkt (sei es Form oder Inhalt) gerichtete Auge kann unmöglich eine große Fläche übersehen. Das auf der Oberfläche herumstreifende unaufmerksame Auge übersieht diese große Fläche oder einen Teil derselben, bleibt aber an den äußeren Verschiedenheiten hängen und verliert sich in Widersprüchen. Der Grund dieser Widersprüche liegt in der Verschiedenheit der Mittel, die der heutige Geist aus der Vorratskammer der Materie scheinbar planlos herausreißt. »Anarchie« nennen viele den gegenwärtigen Zustand der Malerei. Dasselbe Wort wird schon hier und da auch bei der Bezeichnung des gegenwärtigen Zustandes in der Musik gebraucht. Darunter versteht man fälschlich ein planloses Umwerfen und Unordnung. Die Anarchie ist Planmäßigkeit und Ordnung, welche nicht durch eine äußere und schließlich versagende Gewalt hergestellt werden, sondern durch *das Gefühl des Guten* geschaffen werden. Also auch hier werden Grenzen gestellt, die aber als *innere* bezeichnet werden müssen und die äußeren ersetzen müssen werden. Und auch diese Grenzen werden immer erweitert, wodurch die immer zunehmende Freiheit entsteht, die ihrerseits freie Bahn schafft für die weiteren Offenbarungen. [81]

Die gegenwärtige Kunst, die in diesem Sinne richtig als anarchistisch zu bezeichnen ist, spiegelt nicht nur den schon eroberten geistigen Standpunkt ab, sondern sie verkörpert als eine materialisierende Kraft das zur Offenbarung gereifte Geistige.

Die vom Geiste aus der Vorratskammer der Materie herausgerissenen Verkörperungsformen lassen sich leicht zwischen zwei Pole ordnen.

Diese zwei Pole sind:

1. die große Abstraktion,

2. die große Realistik.

Diese zwei Pole eröffnen *zwei Wege*, die schließlich *zu einem Ziel* führen.

Zwischen diesen zwei Polen liegen viele Kombinationen der verschiedenen Zusammenklänge des Abstrakten mit dem Realen.

Diese beiden Elemente waren in der Kunst immer vorhanden, wobei sie als das »Reinkünstlerische« und das »Gegenständliche« zu bezeichnen waren. Das erste drückte sich im zweiten aus, wobei das zweite dem ersten diente. Es war ein verschiedenartiges Balancieren, welches scheinbar im absoluten Gleichgewicht den Höhepunkt des Idealen zu erreichen suchte.

Und es scheint, daß man heute in diesem Ideal kein Ziel mehr findet, daß der die Schalen der Waage haltende Hebel verschwunden ist und daß beide Schalen als selbständige, voneinander unabhängige Einheiten ihre Existenzen getrennt zu führen beabsichtigen. Und auch in diesem Zerbrechen der idealen Waage sieht man »Anarchistisches«. Dem angenehmen Ergänzen des Abstrakten durch das Gegenständliche und umgekehrt hat die Kunst scheinbar ein Ende bereitet.

Einerseits wird dem Abstrakten die divertierende Stütze im Gegenständlichen genommen, und der Beschauer fühlt sich in der Luft schweben. Man sagt: die Kunst verliert den Boden. Andererseits wird dem Gegenständlichen die divertierende Idealisierung im Abstrakten (das »künstlerische« Element) genommen, und der Beschauer fühlt sich an den Boden genagelt. Man sagt: die Kunst verliert das Ideal.

Diese Vorwürfe wachsen aus dem mangelhaft entwickelten Gefühl. Die Gewohnheit, der Form die Hauptaufmerksamkeit zu schenken, und die daraus fließende Art des Beschauers, d. h. das Hängen an der gewohnten Form des Gleichgewichtes, sind die verblendenden Kräfte, die dem freien Gefühl keine freie Bahn lassen. [82]

Henri Matisse: La musique

Anno 1740 raſierte in einem ahiſigen Recht ein hreble vnd ankelende hiſige Krankheit, als zwar dal vom 28 Feb, bis auf den 9 Mai nebſt P. T.
Sebaſtian Lot H: Pfarrer, vnd H: Stephani Schwaher Cooperator: 37 Perſonen von der leidigen ſucht aufgeriben, wir auch Vatter, vnd T...
auf einem tag bede in ein grab ſein begeſetzt worden, ein wohl weiſer Magiſtreas wir auch eine ſämentliche löbliche purgerſchaut ſo dan in diſem ib...
ſandt, da auch ſo gar von denen eniamderen orthen her beruſenen Medicis kein hinlingliches mittel künte erſunden werden, zfürchte ihr hilf
ſucht bei ihrer Schmerzhaften gnaden Muetter, mit dem gelübd, den tag der hocheiligſten Schmerzen alliärlich mit einer Proceſſion, zu künoiger
vnd andern andachts übungen auf ewig zu feiren wo ſo dan dal übel auf einmahl vnd alſo nachgelaſſen, dal nach gethaner verlobnul nicht
allein niemand mehr zu ſelber Zeit in diſer ſucht geſtorben, ſondern auch noch bei 20 gefärlich Kranchligende ihre vorige geſundt heit

Votivbild

Bärtlin Handts Frau. Würde ohnweit Töplitz Von denen Preüßischen Hußaren geiing über Laüß ret mithin durch heimliche abweeg
ht zunemen gezwungen, wo so dan die flüchtige Pferdt über ein Försterliche berg anhöhe eingesprungen das mit wahren will zenterschwer
ent geförrt Laüfent. Und alls Kinder und übersich gekert worden, der Bedinte Lage unter dem Wagen, und gringen die Vordere röder über ihm auß, die
über die anhöhe hinein geworfen: in dißen gefarluge und halß brechanden Umbständen aber Rüefen bede zu der Schmerzhafften Muetter in Nürnau
süß, und machten ein gelübt mit 2 Heil: Mößen: opfer in Stock, und einer Votiv Tafel. und sieht wunder Kaum ware die Verlobung gethan: so fiele ihr eigner
die Pferd von fornen herr an: und stelte sie in ihren Laüff: der Bedinte machte sich alß sinder dem Wagen herauß: die Fraü erholte sich aüch Von ihren
bede nach Jogenie seind verlohren sie aüß ihren Gesicht. Und Komen sodan glücklich ohne mündlste Verlezung Unde Verlurst in den Kaiserlichen
er an: wie solches alles bede nach gehends aüch Offentlich Vor der Canzel zu Verkünden angeben. den 10ten Merz. 1764

bild

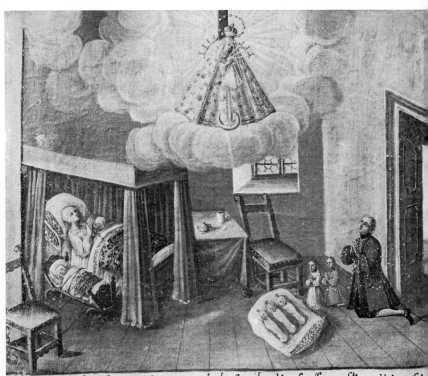

Fraü Maria Schmidin von Jffingen, würde, da sie in den 6 Wochen Lag, gehling mit einem sol...
schwermüett vnd Gröckhen iber fallen, das sie gantz von Verstandt Komen: auch nicht fehig warr das ...
Sacramenta zü Empfangen, nach dem Ihr Eheman der selbe mit einem Lobambt Votivtafel vnd Opfer ...
stock verlobt. So hat obermante alsogleich ihren Verstandt in Kurtzer Zeit, darauf aber die völlige gesündheit er...
1763

Votivbild

anc: Xaveri Rottmiller Miller zu Mühlhagen: Lage gefärlich Krank an der rotten ruhr, nicht minder
mde er in gefahr eines seiner besten Pferden zu verliehren. seine gros an also anbelangenheid verlobt er
h anhero mit einer H: Mess auch Opfer in Stock: von dem Pferdt aber verspricht er den halben Werth
dem Stock zu legen: Wo er auch in beden anligenheiten recht augenscheinliche hilf erlanget:
den 20. Aug: 1766

ivbild

Die erwähnte, erst keimende große Realistik ist ein Streben, aus dem Bilde das äußerliche Künstlerische zu vertreiben und den Inhalt des Werkes durch einfache (»unkünstlerische«) Wiedergabe des einfachen harten Gegenstandes zu verkörpern. Die in dieser Art aufgefaßte und im Bilde fixierte äußere Hülse des Gegenstandes und das gleichzeitige Streichen der gewohnten aufdringlichen Schönheit entblößen am sichersten den inneren Klang des Dinges. Gerade durch diese Hülse bei diesem Reduzieren des »Künstlerischen« auf das Minimum klingt die Seele des Gegenstandes am stärksten heraus, da die äußere wohlschmeckende Schönheit nicht mehr ablenken kann[1]. [83]

Und das ist nur darum möglich, weil wir immer weiter kommen auf dem Wege, die ganze Welt so, wie sie ist, also in keiner verschönenden Interpretation hören zu können.

Das zum Minimum gebrachte »Künstlerische« muß hier als das am stärksten wirkende Abstrakte erkannt werden[2].

Der große Gegensatz zu dieser Realistik ist die große Abstraktion, die aus dem Bestreben, das Gegenständliche (Reale) scheinbar ganz auszuschalten, besteht und den Inhalt des Werkes in »unmateriellen« Formen zu verkörpern sucht. Das in dieser Art aufge-

---

[1] Den Inhalt des gewohnten Schönen hat der Geist schon absorbiert und findet keine neue Nahrung darin. Die Form dieses gewohnten Schönen gibt dem faulen körperlichen Auge die gewohnten Genüsse. Die Wirkung des Werkes bleibt im Bereiche des Körperlichen stecken. Das geistige Erlebnis wird unmöglich. So bildet oft dieses Schöne eine Kraft, die nicht zum Geist, sondern vom Geist führt.

[2] *Die quantitative Verminderung des Abstrakten ist also der qualitativen Vergrößerung des Abstrakten gleich.* Hier berühren wir eins der wesentlichsten Gesetze: das *äußere* Vergrößern eines Ausdrucksmittels führt unter Umständen zum Vermindern der *inneren* Kraft desselben. Hier ist 2 + 1 weniger als 2 − 1. Dieses Gesetz offenbart sich natürlich auch in der kleinsten Ausdrucksform: ein Farbenfleck verliert oft an der Intensität und muß an der Wirkung verlieren – durch äußere Vergrößerung und durch die äußere Steigerung der Stärke. Eine beson-

faßte und im Bild fixierte abstrakte Leben der auf das Minimale reduzierten gegenständlichen Formen und also das auffallende Vorwiegen der abstrakten Einheiten entblößt am sichersten den inneren Klang des Bildes. Und ebenso, wie in der Realistik durch das Streichen des Abstrakten der innere Klang verstärkt wird, so auch in der Abstraktion wird dieser Klang durch das Streichen des Realen verstärkt. Dort war es die gewohnte äußere wohlschmeckende Schönheit, die den Dämpfer bildete. Hier ist es der gewohnte äußere unterstützende Gegenstand.

Zum »Verständnis« dieser Art Bilder ist auch dieselbe Befreiung wie in der Realistik nötig, d. h. auch hier muß es möglich werden, die ganze Welt, so wie sie ist, ohne gegenständliche Interpretation hören zu können. Und hier sind diese abstrahierten oder abstrakten Formen (Linien, Flächen, Flecken usw.) nicht selbst als solche wichtig, sondern nur ihr innerer Klang, ihr Leben. So wie in der Realistik nicht der Gegenstand selbst oder seine äußere Hülse, sondern sein innerer Klang, Leben wichtig sind.

Das zum Minimum gebrachte »Gegenständliche« muß in der Abstraktion als das am stärksten wirkende Reale erkannt werden[1].

So sehen wir schließlich: wenn in der großen Realistik das Reale

---

ders große Farbenbewegung entsteht oft durch das Hemmen derselben; ein schmerzlicher Klang kann durch direkte Süße der Farbe erzielt werden usw. Das alles sind Äußerungen des Gesetzes des Gegensatzes in seinen weiteren Folgen. Kurz gesagt: *aus der Kombination des Gefühls und der Wissenschaft entsteht die wahre Form.* Hier muß ich wieder an den Koch erinnern! Die gute körperliche Speise entsteht auch aus der Kombination eines guten Rezeptes (wo alles genau in Pfund und Gramm bezeichnet ist) und aus dem lenkenden Gefühl. Ein großes Merkmal unserer Zeit ist das Aufgehen des Wissens: die Kunstwissenschaft nimmt allmählich den ihr gebührenden Platz ein. Das ist der kommende »Generalbaß«, welchem natürlich eine unendliche Wechsel- und Entwicklungsbahn bevorsteht!

[1] Also am anderen Pol treffen wir dasselbe eben erwähnte Gesetz, wonach *die quantitative Verminderung der qualitativen Vergrößerung gleich ist.*

Henri Rousseau

auffallend groß erscheint und das Abstrakte auffallend klein und in der großen Abstraktion dieses Verhältnis [84] umgekehrt zu sein scheint, so sind im letzten Grunde (= Ziele) diese zwei Pole einander gleich. Zwischen diesen zwei Antipoden kann das Zeichen des Gleichnisses gestellt werden:

Realistik = Abstraktion,

Abstraktion = Realistik.

Die größte Verschiedenheit im Äußeren wird zur größten Gleichheit im Inneren.

Einige Beispiele werden uns aus dem Gebiete der Reflexion in das Gebiet des Greifbaren versetzen. Wenn der Leser irgendeinen Buchstaben dieser Zeilen mit ungewohnten Augen anschaut, d. h. nicht als ein gewohntes Zeichen eines Teiles eines Wortes, sondern erst als *Ding,* so sieht er in diesem Buchstaben außer der praktisch-zweckmäßig vom Menschen geschaffenen abstrakten Form, die eine ständige Bezeichnung eines bestimmten [85] Lautes ist, noch eine körperliche Form, die ganz selbständig einen bestimmten äußeren und inneren Eindruck macht, d. h. unabhängig von der eben erwähnten abstrakten Form. In diesem Sinne besteht der Buchstabe:

1. aus der Hauptform = Gesamterscheinung, die, sehr grob bezeichnet, »lustig«, »traurig«, »strebend«, »sinkend«, »trotzig«, »protzig« usw. usw. erscheint;

2. besteht der Buchstabe aus einzelnen, so oder anders gebogenen Linien, die auch jedesmal einen bestimmten inneren Eindruck machen, d. h. ebenso »lustig«, »traurig« usw. sind.

Wenn der Leser diese zwei Elemente des Buchstabens gefühlt hat, so entsteht in ihm sofort das Gefühl, welches dieser Buchstabe als *Wesen* mit *innerem Leben* verursacht.

Man soll hier nicht mit der Erwiderung kommen, daß dieser Buchstabe auf einen Menschen so, auf den andern anders wirkt. Das ist nebensächlich und verständlich. Im allgemeinen gesagt, wirkt jedes Wesen auf verschiedene Menschen so oder anders. Wir sehen nur, daß der Buchstabe aus zwei Elementen besteht, die doch schließlich *einen* Klang ausdrücken. Die einzelnen Linien des zweiten Elementes können »lustig« sein, und doch kann der ganze Eindruck (Element 1) »traurig« wirken usw. Die einzelnen Bewegungen des zweiten Elementes sind organische Teile des ersten. Ebensolche Konstruktionen und ebensolche Unterordnungen der einzelnen Elemente *einem* Klang beobachten wir in jedem Lied, jedem Klavierstück, in jeder Symphonie. Und ganz dieselben Vorgänge bilden eine Zeichnung, eine Skizze, ein Bild. Hier offen-

Arnold Schönberg

baren sich die Gesetze der Konstruktion. Für uns ist augenblicklich nur eins wichtig: der Buchstabe wirkt. Und, wie gesagt, ist diese Wirkung doppelt:

1. der Buchstabe wirkt als ein zweckmäßiges Zeichen;

2. er wirkt erst als Form und später als innerer Klang dieser Form selbständig und vollkommen unabhängig.

Es ist uns wichtig, daß diese zwei Wirkungen in keinem gegen-

Unbekannter Meister

seitigen Zusammenhange sind, und während die erste Wirkung eine äußere ist, hat die zweite einen inneren Sinn.

Der Schluß, den wir daraus ziehen, ist der, daß *die äußere Wirkung eine andere sein kann als die innere,* die durch den *inneren Klang* verursacht wird, was *eins der mächtigsten* und tiefsten *Ausdrucksmittel* in jeder Komposition ist[1]. [86]

[1] Hier kann ich solche großen Probleme nur im Vorübergehen streifen. Der Leser braucht sich nur weiter in diese Fragen vertiefen, und das Gewaltige, Geheimnisvolle, unüberwindlich Verlockende z. B. dieser letzten Schlußfolge wird sich von selbst einstellen.

Henri Rousseau

Nehmen wir noch ein Beispiel. Wir sehen in diesem selben Buch einen Gedankenstrich. Dieser Gedankenstrich, wenn er an der richtigen Stelle angebracht ist – so wie ich es hier mache –, ist eine Linie mit einer praktisch-zweckmäßigen Bedeutung. Wollen wir diese kleine Linie verlängern und sie doch an einer richtigen Stelle lassen: der Sinn der Linie bleibt, ebenso wie ihre Bedeutung, die aber durch das Ungewohnte dieser Verlängerung eine undefinierbare Färbung gibt, wobei der Leser sich fragt, warum die Linie so lang ist und ob diese Länge nicht einen praktisch-zweckmäßigen Zweck hat. Stellen wir dieselbe Linie an einer falschen Stelle (so wie – ich hier mache). Das richtig Praktisch-Zweckmäßige ist verloren und nicht mehr zu finden, der Beiklang der Frage ist hoch gewachsen. Es bleibt der Gedanke an einen Druckfehler, d. h. an das entstellte Praktisch-Zweckmäßige. Hier klingt das letztere negativ. Bringen wir dieselbe Linie auf einer leeren Seite an, z. B. lang und geschweift. Dieser Fall ist dem letzten sehr ähnlich, nur denkt man (solange die Hoffnung einer Erklärung vorhanden ist) an das richtig Praktisch-Zweckmäßige. Und später (wenn keine Erklärung zu finden ist) an das Negative.

Solange aber diese oder jene Linie im Buch bleibt, ist das Praktisch-Zweckmäßige nicht definitiv zum Ausschalten zu bringen. [87]

Bringen wir also eine ähnliche Linie in ein Milieu, welches das Praktisch-Zweckmäßige vollkommen zu vermeiden vermag. Z. B. auf eine Leinwand. Solange der Beschauer (es ist kein Leser mehr) die Linie auf der Leinwand als ein Mittel zur Abgrenzung eines Gegenstandes ansieht, unterliegt er auch hier dem Eindrucke des Praktisch-Zweckmäßigen. In dem Augenblick aber, in welchem er sich sagt, daß der praktische Gegenstand auf dem Bilde meistens nur eine zufällige und nicht eine rein malerische Rolle spielte und daß die Linie manchmal eine ausschließlich rein malerische Bedeutung hatte[1], in diesem Augenblick ist die Seele des Beschauers reif, den *reinen inneren Klang* dieser Linie zu empfinden.

Ist denn dadurch der Gegenstand, das Ding aus dem Bilde vertrieben?

Nein. Die Linie ist, wie wir oben gesehen haben, ein Ding, welches ebenso einen praktisch-zweckmäßigen Sinn hat wie ein Stuhl, ein Brunnen, ein Messer, ein Buch usw. Und dieses Ding wird in dem letzten Beispiel als ein reines malerisches Mittel gebraucht ohne die andern Seiten, die es sonst besitzen kann – also in seinem reinen inneren Klang. Wenn also im Bild eine Linie von dem Ziel, ein Ding zu bezeichnen, befreit wird und selbst als ein Ding fun-

---

[1] Van Gogh hat mit besonderer Kraft die Linie als solche gebracht, ohne damit das Gegenständliche irgendwie markieren zu wollen.

giert, wird ihr innerer Klang durch keine Nebenrollen abgeschwächt und bekommt ihre volle innere Kraft.

So kommen wir zur Folge, daß die reine Abstraktion sich auch der Dinge bedient, die ihr materielles Dasein führen, geradeso wie die reine Realistik. Die größte Verneinung des Gegenständlichen und ihre größte Behauptung bekommen wieder das Zeichen des Gleichnisses. Und dieses Zeichen wird wieder durch das gleiche Ziel in beiden Fällen berechtigt: durch das Verkörpern desselben inneren Klanges.

Hier sehen wir, daß es also im Prinzip *gar keine Bedeutung* hat, *ob eine reale oder abstrakte Form vom Künstler gebraucht wird.*

Da beide Formen innerlich gleich sind. Die Wahl muß dem Künstler überlassen werden, welcher selbst am besten wissen muß, durch welches Mittel er am klarsten den Inhalt seiner Kunst materialisieren kann.

Abstrakt gesagt: *es gibt keine Frage der Form im Prinzip.* [88]

Und tatsächlich: wenn es eine prinzipielle Frage der Form gäbe, so würde auch eine Antwort möglich sein. Und jeder, der diese Antwort kennt, würde Kunstwerke schaffen können. D. h. zur selben Zeit würde die Kunst nicht mehr existieren. Praktisch gesagt: Die Frage der Form verändert sich in die Frage: welche Form soll ich in diesem Falle anwenden, um zum notwendigen Ausdruck meines inneren Erlebnisses zu gelangen? Die Antwort ist in diesem Falle immer wissenschaftlich präzis, absolut und für andere Fälle relativ. D. h. eine Form, die die beste in einem Falle ist, kann in einem anderen Falle die schlechteste sein: alles hängt hier von der inneren Notwendigkeit ab, die allein eine Form richtig machen kann. Und nur dann kann eine Form eine Bedeutung für mehrere haben, wenn die innere Notwendigkeit unter dem Druck der Zeit

Egyptisch

und des Raumes einzelne Formen wählt, die miteinander verwandt sind. Dieses ändert aber an der relativen Bedeutung der Form gar nichts, da die auch in diesem Falle richtige Form in vielen anderen Fällen falsch sein kann. [89]

Die sämtlichen Regeln, die schon in der früheren Kunst entdeckt wurden und die später entdeckt werden und auf welche die Kunsthistoriker einen übertrieben großen Wert legen, sind keine allgemeinen Regeln: sie führen nicht zur Kunst. Wenn ich die Regeln des Tischlers kenne, so werde ich immer einen Tisch machen können. Der aber, welcher die vermutlichen Regeln des Malers kennt, darf nicht sicher sein, daß er ein Kunstwerk schaffen kann.

Diese vermutlichen Regeln, die bald in der Malerei zu einem »Generalbaß« führen werden, sind nichts als Erkenntnis der inneren Wirkung der einzelnen Mittel und ihrer Kombinierung. Es wird aber nie Regeln geben, durch welche eine gerade in einem bestimmten Falle notwendige Anwendung der Formwirkung und Kombinierung der einzelnen Mittel zu erreichen sein wird.

Das praktische Resultat: *man darf nie einem Theoretiker (Kunsthistoriker, Kritiker etc.) glauben, wenn er behauptet, daß er irgendeinen objektiven Fehler im Werke entdeckt hat.*

Und: *das Einzige,* was der Theoretiker mit Recht behaupten kann, ist das, daß er bis jetzt diese oder jene Anwendung des Mittels noch nicht gekannt hat. Und: die Theoretiker, die, von der Analyse der schon dagewesenen Formen ausgehend, ein Werk tadeln oder loben, sind die schädlichsten Irreführer, die zwischen dem Werk und dem naiven Beschauer eine Mauer bilden.

Von diesem Standpunkte aus (welcher leider meistens der einzig mögliche ist) ist die *Kunstkritik der schlimmste Feind der Kunst.*

Der ideale Kunstkritiker wäre also nicht der Kritiker, welcher die »Fehler«[1], »Verirrungen«, »Unkenntnisse«, »Entlehnungen« usw. usw. zu entdecken suchen würde, sondern der, welcher *zu fühlen* suchen würde, wie diese oder jene Form innerlich wirkt,

---

[1] Z. B. »anatomische Fehler«, »Verzeichnungen« u. dgl. oder später Verstöße gegen den kommenden »Generalbaß«.

Franz Marc: Der Stier

Japanisch

und dann sein Gesamterlebnis dem Publikum ausdrucksvoll mitteilen würde.

Hier würde natürlich der Kritiker eine Dichterseele brauchen, da der Dichter objektiv fühlen muß, um subjektiv sein Gefühl zu verkörpern. D. h. der Kritiker würde eine schöpferische Kraft besitzen müssen. In Wirklichkeit sind aber die Kritiker sehr oft mißlungene Künstler, die am Mangel eigener schöpferischer Kraft scheitern und deshalb sich berufen fühlen, die fremde schöpferische Kraft zu lenken.

Die Formfrage ist für die Kunst oft schädlich auch darum, weil unbegabte Menschen (d. h. Menschen, die keinen *inneren* Trieb zur Kunst haben), sich der fremden Formen bedienend, Werke vortäuschen und dadurch eine Verwirrung verursachen. [90]

Hier muß ich präzis sein. Eine fremde Form zu gebrauchen heißt in der Kritik, im Publikum und oft bei den Künstlern ein Verbrechen, ein Betrug. Das ist aber in Wirklichkeit nur dann der Fall, wenn der »Künstler« diese fremden Formen ohne innere Notwendigkeit braucht und dadurch ein lebloses, totes Scheinwerk schafft. Wenn aber der Künstler zum Ausdruck seiner inneren Regungen und Erlebnisse sich einer oder der andern »fremden« Form der inneren Wahrheit entsprechend bedient, so übt er sein Recht aus, sich jeder ihm *innerlich nötigen* Form zu bedienen – sei es ein Gebrauchsgegenstand, ein Himmelskörper oder eine durch einen andern Künstler schon künstlerisch materialisierte Form.

Diese ganze Frage der »Nachahmung«[1] hat auch lange nicht die Bedeutung, die ihr wieder durch die Kritik beigemessen wird[2]. Das Lebende bleibt. Das Tote verschwindet. [91]

Und wirklich: je weiter wir unsern Blick zur Vergangenheit wenden, desto weniger finden wir Vortäuschungen, Scheinwerke. Sie sind geheimnisvoll verschwunden. Nur die echten künstlerischen Wesen bleiben, d. h. die, die in dem Körper (Form) eine Seele (Inhalt) besitzen.

Wenn der Leser weiter jeden beliebigen Gegenstand auf seinem Tisch anschaut (sei es nur ein Zigarrenstummel), so wird er sofort dieselben zwei Wirkungen bemerken. Es sei wo und wann es will (in der Straße, Kirche, im Himmel, Wasser, im Stall oder Wald),

---

[1] Wie phantasiereich die Kritik auf diesem Gebiete ist, weiß jeder Künstler. Die Kritik weiß, daß die tollsten Behauptungen gerade hier vollkommen straflos angewendet werden können. Z. B. vor kurzem wurde die Negerin von Eugen Kahler, eine gute naturalistische Atelierstudie, mit ... Gauguin verglichen. Die einzige Veranlassung zu diesem Vergleich konnte nur die braune Haut des Modells sein (siehe »Münchener Neueste Nachrichten« 12. Okt. 1911) usw. usw.

[2] Und dank der herrschenden Überschätzung dieser Frage wird der Künstler unbestraft diskreditiert.

überall werden die zwei Wirkungen sich herausstellen, und überall wird der innere Klang vom äußeren Sinn unabhängig sein.

Die Welt klingt. Sie ist ein Kosmos der geistig wirkenden Wesen. So ist die tote Materie lebender Geist.

Wenn wir aus der selbständigen Wirkung des inneren Klanges die uns hier nötige Folge ziehen, so sehen wir, daß dieser innere Klang an Stärke gewinnt, wenn der ihn unterdrückende äußere praktisch-zweckmäßige Sinn entfernt wird. Hier liegt die eine Erklärung der ausgesprochenen Wirkung einer Kinderzeichnung auf den unparteiischen, untraditionellen Beschauer. Das Praktisch-Zweckmäßige ist dem Kind fremd, da es jedes Ding mit ungewohnten Augen anschaut und noch die ungetrübte Fähigkeit besitzt, das Ding als solches aufzunehmen. Das Praktisch-Zweckmäßige wird erst später durch viele, oft traurige Erfahrungen langsam kennengelernt. So entblößt sich in jeder Kinderzeichnung ohne Ausnahme der innere Klang des Gegenstandes von selbst. Die Erwachsenen, besonders die Lehrer, bemühen sich, dem Kinde das Praktisch-Zweckmäßige aufzudrängen, und kritisieren dem Kinde seine Zeichnung gerade von diesem flachen Standpunkte aus: »dein Mensch kann nicht gehen, weil er nur ein Bein hat«, »auf deinem Stuhl kann man nicht sitzen, da er schief ist« usw.[1] Das Kind lacht sich selbst aus. Es sollte aber weinen.

Nun hat das begabte Kind außer der Fähigkeit, das Äußere zu streichen, noch die Macht, das gebliebene Innere in eine Form zu kleiden, in welcher dieses gebliebene Innere am stärksten zum Vorschein kommt und also wirkt (wie man auch zu sagen pflegt »spricht«!). [92]

---

[1] Wie es so oft der Fall ist: man belehrt die, die belehren sollten. Und später wundert man sich, daß aus den begabten Kindern nichts wird.

Jede Form ist vielseitig. Man entdeckt an ihr immer neue und immer andere glückliche Eigenschaften. Hier will ich aber nur eine augenblicklich uns wichtige Seite der guten Kinderzeichnung betonen: die kompositionelle. Hier springt uns ins Auge die unbewußte, wie von selbst gewachsene Anwendung der beiden oben erwähnten Teile des Buchstabens, d. h. 1. die *Gesamterscheinung,* die sehr oft präzis ist und hier und da bis ins Schematische steigt, und 2. die *einzelnen,* die große Form bildenden *Formen,* von denen jede ein eigenes Leben führt (so z. B. die »Araber« von Lydia Wieber). Es ist eine unbewußte, enorme Kraft im Kinde, die sich hier äußert und die das Kinderwerk dem Werke des Erwachsenen gleich hoch (und oft viel höher!) stellt[1].

Für jedes Glühen gibt es ein Abkühlen. Für jede frühe Knospe – der drohende Frost. Für jedes junge Talent – eine Akademie. Es sind keine tragischen Worte, sondern eine traurige Tatsache. Die Akademie ist das sicherste Mittel, der beschriebenen Kindeskraft den Garaus zu machen. Sogar das sehr große, starke Talent wird in dieser Beziehung von der Akademie mehr oder weniger gebremst. Die schwächeren Begabungen gehen zu Hunderten zugrunde. Ein akademisch gebildeter, mittelmäßig begabter Mensch zeichnet sich dadurch aus, daß er das Praktisch-Zweckmäßige erlernt hat und daß er das Hören des inneren Klanges verloren hat. So ein Mensch liefert eine »korrekte« Zeichnung, die tot ist.

[1] Auch diese verblüffende Eigenschaft der kompositionellen Form besitzt die »Volkskunst«. (Siehe z. B. das Pest-Votivbild aus der Kirche in Murnau.)

Henri Rousseau

Wenn ein Mensch, welcher keine künstlerische Bildung erworben hat und also von den objektiven künstlerischen Kenntnissen frei ist, irgend etwas malt, so entsteht nie ein leerer Schein. Hier sehen wir ein Beispiel des Wirkens der inneren Kraft, die nur von den *allgemeinen* Kenntnissen des Praktisch-Zweckmäßigen beeinflußt wird.

Da aber die Anwendung auch dieses Allgemeinen hier nur beschränkt geschehen kann, so wird das Äußere auch hier (nur weni-

Henri Rousseau

ger als bei dem Kinde, aber doch ausgiebig) gestrichen, und der
innere Klang gewinnt an Kraft: es entsteht keine tote Sache, sondern eine lebende (siehe z. B. die 4 hier angebrachten Köpfe). [93]
    Christus sagte: Lasset die Kindlein zu mir kommen, denn ihrer
ist das Himmelreich.
    Der Künstler, der sein ganzes Leben in vielem dem Kinde
gleicht, kann oft leichter als ein anderer zu dem inneren Klang der
Dinge gelangen. Es ist in dieser Beziehung ganz besonders inter-

essant zu sehen, wie der Komponist Arnold Schönberg die malerischen Mittel einfach und sicher anwendet. Ihn interessiert in der Regel nur dieser innere Klang. Alle Ausschmückungen und Feinschmeckereien läßt er ohne Beachtung und die »ärmste« Form wird in seinen Händen die reichste (siehe sein Selbstporträt).

Hier liegt die Wurzel der neuen großen Realistik. Die vollkommen und ausschließlich einfach gegebene äußere Hülse des Dinges ist schon eine Absonderung des Dinges vom Praktisch-Zweckmäßigen und das Herausklingen des Inneren. Henri Rousseau, der als Vater dieser Realistik zu bezeichnen ist, hat mit einer einfachen und überzeugenden Geste den Weg gezeigt (siehe das Porträt und seine anderen Bilder)[1]. [94]

Henri Rousseau hat den neuen Möglichkeiten der Einfachheit den Weg eröffnet. Dieser Wert seiner vielseitigen Begabung ist uns augenblicklich der wichtigste.

Die Gegenstände oder der Gegenstand (d. h. er und die ihn bildenden Teile) müssen in irgendeinem Zusammenhang stehen. Dieser Zusammenhang kann auffallend harmonisch sein oder auffallend disharmonisch. Es kann hier eine schematisierte Rhythmik angewendet werden oder eine versteckte.

Der unaufhaltsame Drang von heute, das rein Kompositionelle zu offenbaren, die künftigen Gesetze unserer großen Epoche zu entschleiern, ist die Kraft, die die Künstler auf verschiedenen Wegen zu einem Ziele zu streben zwingt. [95]

Es ist natürlich, daß der Mensch sich in einem solchen Falle an das Regelmäßigste und zugleich Abstrakteste wendet. So sehen wir, daß durch verschiedene Kunstperioden das Dreieck als Kon-

---

[1] Die Mehrzahl der hier reproduzierten Bilder Rousseaus sind aus dem sympathischen, warmen Buch *Uhdes* (Henri Rousseau, Paris, Eugène Figuière et Cie. Editeurs 1911) entnommen. Ich benutze die Gelegenheit, mich bei Herrn Uhde für sein Entgegenkommen herzlich zu bedanken.

struktionsbasis gebraucht wurde. Dieses Dreieck wurde oft als ein gleichseitiges angewendet, und so kam auch die Zahl zu ihrer Bedeutung, d. h. das ganz abstrakte Element des Dreiecks. In dem heutigen Suchen nach abstrakten Verhältnissen spielt die Zahl eine besonders große Rolle. Jede Zahlformel ist wie ein eisiger Berggipfel kühl und als höchste Regelmäßigkeit wie ein Marmorblock fest. Sie ist kalt und fest wie jede Notwendigkeit. Das Suchen, in einer Formel das Kompositionelle auszudrücken, ist der Grund des Entstehens des sogenannten Kubismus. Diese »mathematische« Konstruktion ist eine Form, die manchmal bis zum letzten Grade der Vernichtung des materiellen Zusammenhanges der Teile des Dinges führen muß und in konsequenter Anwendung führt (siehe z. B. Picasso).

Das letzte Ziel auch auf diesem Wege ist, ein Bild zu schaffen, das durch eigene, schematisch konstruierte Organe zum Leben gebracht wird, zum Wesen wird. Wenn diesem Wege im allgemeinen etwas vorgeworfen werden kann, so ist es *nichts anderes,* als daß hier eine zu begrenzte Anwendung der Zahl ist. Es kann alles als eine mathematische Formel oder einfach als eine Zahl dargestellt werden. Es gibt aber verschiedene Zahlen: 1 und $0,3333\ldots$ sind gleich berechtigte, gleich lebende innerlich klingende Wesen. Warum soll man sich mit 1 begnügen? Warum soll man $0,3333\ldots$ ausschließen? Damit verbunden stellt sich die Frage: warum soll man durch *ausschließliche* Anwendung von Dreiecken und ähnlichen geometrischen Formen und Körpern den künstlerischen Ausdruck schmälern? Es soll aber wiederholt werden, daß die kompositionellen Bestrebungen der »Kubisten« in einem direkten Zusammenhang stehen zu der Notwendigkeit, rein malerische Wesen zu schaffen, die einerseits im Gegenständlichen und durch das Gegenständliche reden und durch verschiedene Kombinationen mit dem mehr oder weniger klingenden Gegenstand andererseits schließlich zur reinen Abstraktion übergehen. [96]

Zwischen der rein abstrakten und der rein realen Komposition liegen die Kombinationsmöglichkeiten der abstrakten und realen Elemente in einem Bilde. Wie diese Kombinationsmöglichkeiten groß und mannigfaltig sind, wie in allen diesen Fällen das Leben des Werkes stark pulsieren kann und wie frei man sich also zu der Formfrage verhalten soll, zeigen die Reproduktionen in diesem Buch.

Die Kombinationen des Abstrakten mit dem Gegenständlichen, die Wahl zwischen den unendlichen abstrakten Formen oder im gegenständlichen Material, d. h. die Wahl der einzelnen Mittel auf beiden Gebieten, ist und bleibt dem inneren Wunsch des Künstlers überlassen. Die heute verpönte oder verachtete Form, die scheinbar ganz abseits vom großen Strom liegt, wartet nur auf ihren Meister. Diese Form ist nicht tot, sie ist bloß in eine Art Lethargie versunken. Wenn der Inhalt, der Geist, welcher sich nur durch diese scheintote Form offenbaren kann, reif wird, wenn die Stunde seiner Materialisation geschlagen hat, so tritt er in diese Form und wird durch sie sprechen.

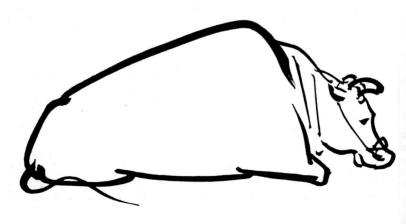

Alfred Kubin: Federzeichnung

Egyptische Schattenspielfigur
[In Originalausgabe farbig]

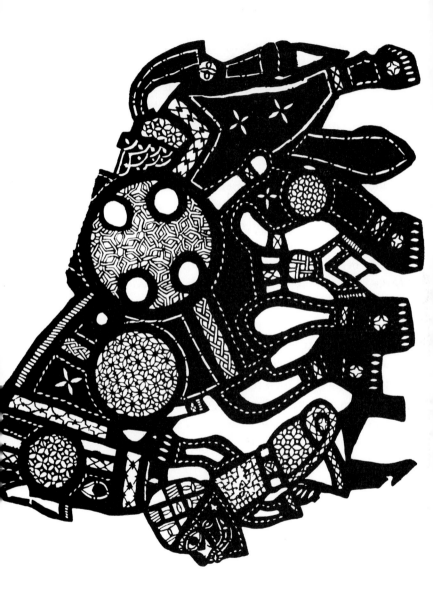

Und speziell der Laie sollte nicht mit der Frage an das Werk gehen: »was hat der Künstler *nicht* gemacht?« oder anders gesagt: »wo erlaubt sich der Künstler, *meine* Wünsche zu vernachlässigen?«, sondern er sollte sich fragen: »was hat der Künstler gemacht?« oder: »welchen *seinen* inneren Wunsch hat hier der Künstler zum Ausdruck gebracht?« Ich glaube auch, daß die Zeit noch kommt, wo auch die Kritik ihre Aufgabe nicht im Suchen des Negativen, Fehlerhaften, sondern im Suchen und Vermitteln des Positiven, Richtigen finden wird. Eine der »wichtigen« Sorgen der heutigen Kritik der abstrakten Kunst gegenüber ist die Sorge, wie soll man denn in dieser Kunst das Falsche vom Richtigen unterscheiden, d. h. größtenteils, wie soll man hier das Negative entdecken? Das Verhalten dem Kunstwerk gegenüber sollte ein anderes sein als das Verhalten zu einem Pferd, welches man kaufen will: bei dem Pferd deckt eine wichtige negative Eigenschaft alle die positiven und macht es wertlos; beim Werk ist das Verhältnis umgekehrt: eine wichtige positive Eigenschaft deckt alle die negativen und macht es wertvoll.

Wenn dieser einfache Gedanke einmal berücksichtigt wird, so werden von selbst die prinzipiell-absoluten Formfragen fallen, die Formfrage wird ihren relativen Wert erhalten, und u. a. wird endlich dem Künstler selbst die Wahl der Form überlassen, welche ihm und in diesem Werk notwendig ist. [97]

Zum Schluß dieser leider nur flüchtigen Betrachtungen der Formfrage will ich noch auf einige Konstruktionsbeispiele in diesem Buch weisen. D. h. ich bin hier gezwungen, aus vielen Lebensseiten der Werke nur die eine zu unterstreichen, mit vollem Verzicht auf alle übrigen mannigfaltigen Eigenschaften, die nicht nur das spezielle Werk charakterisieren, sondern auch die Seele des Künstlers. Die zwei Bilder von Henri Matisse zeigen, wie die »rhythmi-

G. Münter: Stilleben

sche« Komposition (»Tanz«) anders innerlich lebt und also anders klingt als die Komposition, in welcher die Teile des Bildes scheinbar unrhythmisch zusammengestellt sind (»Musik«). Dieser Vergleich ist der beste Beweis, daß nicht nur im klaren Schema, in der klaren Rhythmik das Heil liegt.

Das starke abstrakte Klingen der körperlichen Form verlangt nicht durchaus die Zerstörung des Gegenständlichen. Daß es auch hier keine allgemeine Regel gibt, sehen wir im Bilde von Marc (»Der Stier«). Es kann also der Gegenstand den inneren und den äußeren Klang vollkommen behalten, und dabei können seine einzelnen Teile zu selbständig klingenden abstrakten Formen sich verwandeln und also einen gesamten abstrakten Hauptklang verursachen.

Das Stilleben von Münter zeigt, daß die ungleiche, ungleichgradige Übersetzung der Gegenstände auf einem und demselben Bild nicht nur unschädlich ist, sondern in richtiger Anwendung einen starken komplizierten inneren Klang erzielt. Der äußerlich als disharmonisch wirkende Akkord ist in diesem Falle der Urheber der inneren harmonischen Wirkung.

Die zwei Bilder von Le Fauconnier sind ein gewaltiges lehrreiches Beispiel: ähnliche »reliefe« Formen erzielen in diesen Bildern durch Verteilung der »Gewichte« zwei diametral verschiedene innere Wirkungen. Die »Abondance« klingt wie eine beinahe tragische Überladung der Gewichte. »Paysage lacustre« erinnert an eine klare, durchsichtige Dichtung. [98]

Wenn der Leser dieses Buches imstande ist, sich seiner Wünsche, seiner Gedanken, seiner Gefühle zeitweise zu entledigen, und dann das Buch durchblättert, von einem Votivbild zu Delaunay übergeht und weiter von einem Cézanne zu einem russischen Volksblatt, von einer Maske zu Picasso, von einem Glasbild zu Kubin usw. usw., so wird seine Seele viele Vibrationen erleben und in das Gebiet der Kunst eintreten. Hier wird er dann nicht ihn empörende Mängel und ärgernde Fehler finden, sondern er wird statt einem Minus ein Plus seelisch erreichen. Und diese Vibrationen und das aus ihnen entsprungene Plus werden eine Seelenbereicherung sein, die durch kein anderes Mittel als durch die Kunst zu erreichen ist.

Später kann der Leser mit dem Künstler zu objektiven Betrachtungen, zur wissenschaftlichen Analyse übergehen. Hier findet er dann, daß die sämtlichen gebrachten Beispiele einem inneren Rufe gehorchen – Komposition, daß sie alle auf einer inneren Basis stehen – Konstruktion.

Der innere Inhalt des Werkes kann entweder einem oder dem anderen von zwei Vorgängen gehören, die heute (ob nur heute? oder heute nur besonders sichtbar?) alle Nebenbewegungen in sich auflösen.

Diese zwei Vorgänge sind:

1. Das Zersetzen des seelenlos-materiellen Lebens des 19. Jahrhunderts, d. h. das Fallen der für einzig fest gehaltenen Stützen des Materiellen, das Zerfallen und Sichauflösen der einzelnen Teile.

2. Das Aufbauen des seelisch-geistigen Lebens des 20. Jahrhunderts, welches wir miterleben und welches sich schon jetzt in starken, ausdrucksvollen und bestimmten Formen manifestiert und verkörpert.

Diese zwei Vorgänge sind die zwei Seiten der »heutigen Bewegung«.

Die schon erzielten Erscheinungen zu qualifizieren oder auch nur das Endziel dieser Bewegung festzustellen, wäre eine Anmaßung, die durch verlorene Freiheit sofort grausam bestraft würde.

Wie schon oft gesagt, nicht zur Beschränkung sollen wir streben, sondern zur Befreiung. Nichts soll man verwerfen ohne *ange-*

strengte Versuche, Lebendes zu entdecken. [99] Es ist besser, den Tod für das Leben zu halten, als das Leben für den Tod. Wenn auch nur ein einziges Mal. Und nur auf einer freigewordenen Stelle kann wieder etwas *wachsen.* Der Freie sucht sich durch alles zu bereichern und von jedem Wesen das Leben auf sich wirken zu lassen – wenn es auch nur ein abgebranntes Zündholz ist.

Nur durch Freiheit kann *das Kommende* empfangen werden.

Und man bleibt nicht abseits stehen wie der dürre Baum, unter dem Christus das schon bereitliegende Schwert sah. [100]

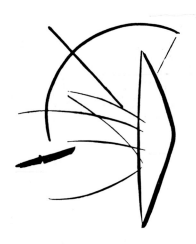

Törichte Jungfrau (13. Jahrhundert)

Oskar Kokoschka: Bildnis

Henri Rousseau: Bildnis

(Aus »Italienische Eindrücke« von W. *Rosanow*,
St. Petersburg 1909, S. 81 ff.)

»Die ganze antike Kunst ist im Gegensatz zur neuen nicht psycho-
logisch ... War aber die antike Kunst nicht vielleicht mehr meta-
physisch?

Die Maße, die Messungen des menschlichen ›corpus‹, das ewige
Suchen (und womöglich Finden?) der definitiven Wahrheit dieser
Maße und ihre Harmonie ist das, was wir in allen diesen Marmor-
werken immer wieder finden. ›Schneidermaße‹ möchte man als
letzte Definition aussprechen. Ist es nicht scheinbar sehr wenig, sehr
arm? Was sagte aber Moses, als er vom Berge Sinai kam, und was
teilte er den Kindern Israels mit in bezug auf den Bau des Tem-
pels (Skynie)? Er zählte auch nur Maße und Farben auf, und sogar
fast nur die Maße. Und beim Lesen dieses Berichtes im ›Auszug
der Kinder Israels‹ hört man beinahe den Schneider die Zahlen
nennen – der Länge, der Breite, des Umfanges und der Biegung –
des bestellten Kleides. Skynie ist das Kleid Gottes: das ist ihre
[101] unausgesprochene Idee. Kein Wort sagt der Prophet Hese-
kiel, weder über seinen Eindruck vom ihm in einer Vision erschienenen Tempel, wo sich Gott befindet, noch vom Bilde dieses Tem-
pels, volle Seiten beschreibt er aber bis zur Ermüdung, bis zur
Erschöpfung der letzten Geduld des Lesers mit Zahlen und wieder
Zahlen, mit Maßen und wieder und wieder mit Maßen. Und der

Bayerisches Spiegelbild

weise Pythagoras hielt die ›Zahl‹ für das ›Wesen der Dinge‹. ›Jedes Ding hat eine eigene Zahl, und der, dem die Zahl des Dinges offenbart ist, der kennt auch das versteckte Wesen der Dinge.‹ So ist ein eigenes Geheimnis in den Zahlen und den Maßen; *Gott* ist das Maß aller Dinge – *nach* der Schöpfung; darf man ihn nicht *vor* der Schöpfung den Schneider aller Dinge nennen, welcher in seinem himmlischen Sinn die Welt ›zuschneidet‹?« [102]

Über Bühnenkomposition

von Kandinsky

ede Kunst hat eine eigene Sprache, d. h. die nur ihr
eigenen Mittel.

So ist jede Kunst etwas in sich Geschlossenes. Jede Kunst ist ein
eigenes Leben. Sie ist ein Reich für sich. [103]

Deswegen sind die Mittel verschiedener Künste äußerlich vollkommen verschieden. Klang, Farbe, Wort! . . .

Im letzten innerlichen Grunde sind diese Mittel vollkommen
gleich: das letzte Ziel löscht die äußeren Verschiedenheiten und
entblößt die innere Identität.

Dieses *letzte* Ziel (Erkenntnis) wird in der menschlichen Seele
erreicht durch feinere Vibrationen derselben. Diese feineren Vibrationen, die im letzten Ziele identisch sind, haben aber an und

H. Arp

für sich verschiedene innere Bewegungen und unterscheiden sich dadurch voneinander.

Der undefinierbare und doch bestimmte Seelenvorgang (Vibration) ist das Ziel der einzelnen Kunstmittel.

Ein bestimmter Komplex der Vibrationen – das Ziel eines Werkes.

Die durch das Summieren bestimmter Komplexe vor sich gehende Verfeinerung der Seele – das Ziel der Kunst.

Die Kunst ist deswegen unentbehrlich und zweckmäßig.

Das vom Künstler richtig gefundene Mittel ist eine materielle Form seiner Seelenvibration, welcher einen Ausdruck zu finden er gezwungen ist. [104]

Wenn dieses Mittel richtig ist, so verursacht es eine beinahe identische Vibration in der Seele des Empfängers.

Das ist unvermeidlich. Nur ist diese zweite Vibration kompliziert. Sie kann erstens stark oder schwach sein, was von dem Grad der Entwicklung des Empfängers und auch von zeitlichen Einflüssen (absorbierte Seele) abhängt. Zweitens wird diese Vibration der Seele des Empfängers entsprechend auch andere Saiten der Seele in Schwingung bringen. Das ist die Anregung der »Phantasie« des Empfängers, welcher am Werke »weiter schafft«[1]. Die öfter vibrierenden Saiten der Seele werden beinahe bei jeder Berührung auch anderer Saiten mitklingen. Und manchmal so stark, daß sie den ursprünglichen Klang übertönen: es gibt Menschen, die durch »lustige« Musik zum Weinen gebracht werden und umgekehrt. Deswegen werden einzelne Wirkungen eines Werkes bei verschiedenen Empfängern mehr oder weniger gefärbt.

Der ursprüngliche Klang wird aber in diesem Falle nicht vernichtet, sondern lebt weiter und verrichtet, wenn auch unmerklich, seine Arbeit an der Seele[2].

Es gibt also keinen Menschen, welcher die Kunst nicht empfängt. Jedes Werk und jedes einzelne Mittel des Werkes verursacht in jedem Menschen ohne Ausnahme eine Vibration, die im Grunde der des Künstlers identisch ist. [105]

---

[1] Heutzutage rechnen u. a. besonders Theaterinszenierungen auf diese »Mitwirkung«, welche natürlich stets vom Künstler gebraucht wurde. Daher stammte auch das Verlangen nach einem gewissen freien Raum, welcher das Werk vom letzten Grade des Ausdruckes trennen mußte. Dieses Nicht-bis-zuletzt-Sagen verlangten z. B. Lessing, Delacroix u. a. Dieser Raum ist das freie Feld für die Arbeit der Phantasie.

[2] So wird mit der Zeit jedes Werk richtig »verstanden«.

Egyptisch

Die innere, im letzten Grunde entdeckbare Identität der einzelnen Mittel verschiedener Künste ist der Boden gewesen, auf welchem versucht wurde, einen bestimmten Klang einer Kunst durch den identischen Klang einer anderen Kunst zu unterstützen, zu stärken und dadurch eine besonders gewaltige Wirkung zu erzielen. Das ist ein Wirkungsmittel.

Die Wiederholung aber des einen Mittels einer Kunst (z. B. Musik) durch ein identisches Mittel einer anderen Kunst (z. B. Malerei) ist nur *ein* Fall, *eine* Möglichkeit. Wenn diese Möglichkeit auch als ein inneres Mittel verwendet wird (z. B. bei Skrjabin)[1], so finden wir auf dem Gebiete des Gegensatzes und der komplizierten Komposition erst einen Antipoden dieser Wiederholung und später eine Reihe von Möglichkeiten, die zwischen der Mit- und Gegenwirkung liegen. Das ist ein unerschöpfliches Material.

Das 19. Jahrhundert zeichnete sich als eine Zeit aus, welcher innere Schöpfung fern lag. Das Konzentrieren auf materielle Erscheinun-

[1] S. den Artikel L. Sabanejews in diesem Buch.

gen und auf die materielle Seite der Erscheinungen mußte die schöpferische Kraft auf dem Gebiete des Inneren logisch zum Sinken bringen, was scheinbar bis zum letzten Grad des Versinkens führte.

Aus dieser Einseitigkeit mußten sich natürlich auch andere Einseitigkeiten entwickeln.

So auch auf der Bühne:

1. kam auch hier (wie auf anderen Gebieten) notgedrungen die minutiöse Ausarbeitung der einzelnen schon existierenden (früher geschaffenen) Teile, die der Bequemlichkeit halber stark und definitiv voneinander getrennt wurden. Hier spiegelte sich die Spezialisierung ab, die immer sofort entsteht, wenn keine neuen Formen geschaffen werden, und

2. der positive Charakter des Zeitgeistes konnte nur zu einer Form der Kombinierung führen, die ebenso positiv war. Man dachte eben: zwei ist mehr als eins, und suchte jede Wirkung durch Wiederholung zu verstärken. In der inneren Wirkung kann es aber umgekehrt sein, und oft ist eins mehr als zwei. Mathematisch ist $1 + 1 = 2$. Seelisch kann $1 - 1 = 2$ sein. [106]

ad 1. Durch die *erste Folge des Materialismus*, d. h. durch die Spezialisierung und die damit verbundene weitere äußerliche Ausarbeitung der einzelnen Teile, entstanden und versteinerten sich drei Gruppen von Bühnenwerken, die voneinander durch hohe Mauern abgeteilt wurden:

    a) Drama,

    b) Oper,

    c) Ballett.

a) Das Drama des 19. Jahrhunderts ist im allgemeinen eine mehr oder weniger raffinierte und in die Tiefen gehende Erzählung eines Vorganges von mehr oder weniger persönlichem Charakter. Es ist gewöhnlich eine Beschreibung des äußeren Lebens, wo das seelische Leben des Menschen auch nur soweit mitspielt,

N. Gontscharowa

als es mit dem äußeren Leben zu tun hat[1]. *Das kosmische Element fehlt vollkommen.*

Der äußere Vorgang und der äußere Zusammenhang der Handlung ist die Form des heutigen Dramas.

b) Die Oper ist ein Drama, zu welchem Musik als Hauptelement hinzugefügt wird, wobei Raffiniertheit und Vertiefung des dramatischen Teiles stark leiden. Die beiden Teile sind vollkommen äußerlich miteinander verbunden. D. h. entweder illustriert (bzw. verstärkt) die Musik den dramatischen Vorgang, oder der dramatische Vorgang wird als Erklärung der Musik zu Hilfe gezogen. [107]

Dieser wunde Punkt wurde von Wagner bemerkt, und er suchte

---

[1] Ausnahmen finden wir wenige. Und auch diese wenigen (z. B. Maeterlink, Ibsens »Gespenster«, Andrejews »Das Leben des Menschen« u. dgl.) bleiben doch im Banne des äußeren Vorganges.

G. Münter

ihm durch verschiedene Mittel abzuhelfen. Der Grundgedanke war dabei, die einzelnen Teile organisch miteinander zu verbinden und auf diese Weise ein monumentales Werk zu schaffen[1].

Durch Wiederholung einer und derselben äußeren Bewegung in zwei Substanzformen suchte Wagner die Verstärkung der Mittel zu erreichen und die Wirkung zu einer monumentalen Höhe zu bringen. Sein Fehler war in diesem Falle der Gedanke, daß er über ein Universalmittel verfügte. Dieses Mittel ist in Wirklichkeit nur eines aus der Reihe von oft gewaltigeren Möglichkeiten in der monumentalen Kunst.

Abgesehen aber davon, daß eine parallele Wiederholung nur *ein*

---

[1] Dieser Gedanke Wagners hat über ein halbes Jahrhundert gebraucht, um über die Alpen zu gelangen, wo er eine offiziell ausgedrückte Paragraphengestalt erhält. Das musikalische »Manifest« der »Futuristi« lautet: »Proclamer comme une nécessité absolue que le musicien soit l'auteur du poème dramatique ou tragique qu'il doit mettre en musique« (Mai 1911, Mailand).

P. Klee

Mittel ist, und davon, daß diese Wiederholung nur äußerlich ist, hat Wagner ihr eine neue Gestaltung gegeben, die zu weiteren führen mußte. Vor Wagner hat z. B. die Bewegung einen rein äußerlichen und oberflächlichen Sinn in der Oper gehabt (vielleicht nur Entartung). Es war ein naives Anhängsel der Oper: das An-die-Brust-Drücken der Hände – Liebe, das Heben der Arme – Gebet, das Ausbreiten der Arme – starke Gemütsbewegung u. dgl. Diese kindlichen Formen (die man noch heute jeden Abend sehen kann) standen in äußerlichem Zusammenhang mit dem Text der Oper, der wieder durch die Musik illustriert wurde. Wagner hat hier eine direkte (künstlerische) Verbindung zwischen der Bewegung und dem musikalischen Takt geschaffen: die Bewegung wurde dem Takt untergeordnet.

Diese Verbindung ist aber doch nur äußerlicher Natur. Der innere Klang der Bewegung bleibt aus dem Spiel. [108]

Auf dieselbe künstlerische, aber auch äußerliche Weise wurde bei Wagner andererseits die Musik dem Text untergeordnet, d. h. der Bewegung in breitem Sinne. Es wurde musikalisch das Zischen des glühenden Eisens im Wasser, das Schlagen des Hammers beim Schmieden u. dgl. dargestellt.

Diese *wechselnde* Unterordnung ist aber auch wieder eine Bereicherung der Mittel gewesen, die zu weiteren Kombinationen führen mußte.

A. Kubin

Also einerseits bereicherte Wagner die Wirkung eines Mittels und verminderte andererseits den inneren Sinn – die rein künstlerische innere Bedeutung des Hilfsmittels.

Diese Formen sind nur mechanische Reproduktionen (nicht innere Mitwirkungen) der zweckmäßigen Vorgänge der Handlung. Ähnlicher Natur ist auch die andere Verbindung der Musik mit Bewegung (im breiten Sinne des Wortes), d. h. die musikalische »Charakteristik« der einzelnen Rollen. Dieses hartnäckige Auftauchen eines musikalischen Satzes bei dem Erscheinen eines Helden verliert schließlich an Kraft und wirkt auf das Ohr wie eine altbekannte Flaschenetikette auf das Auge. Das Gefühl sträubt sich schließlich gegen derartige konsequent programmatische Anwendungen einer und derselben Form[1].

[1] Dieses Programmatische durchdringt das Schaffen Wagners und erklärt sich scheinbar nicht nur aus dem Charakter des Künstlers, sondern auch aus dem Bestreben, eine präzise Form zu dem neuen Schaffen zu finden, wobei der Geist des 19. Jahrhunderts seinen Stempel des »Positiven« darauf abdrückte.

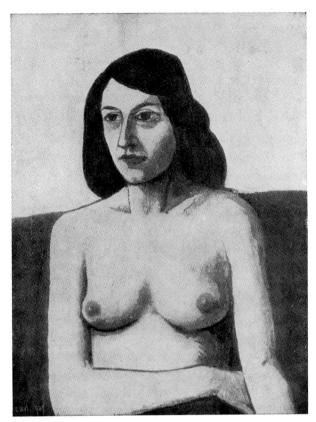

P. P. Girieud: Halbakt

Endlich das Wort braucht Wagner als Mittel der Erzählung oder zum Ausdruck seiner Gedanken. Es wurde hier aber kein geeignetes Milieu für solche Zwecke geschaffen, da in der Regel die Worte vom Orchester übertönt werden. Es ist kein genügendes Mittel, in vielen Rezitativen das Wort klingen zu lassen. Aber der Versuch, das unaufhörliche Singen zu unterbrechen, versetzte dem »Einheitlichen« schon einen gewaltigen Stoß. Doch der äußere Vorgang blieb auch davon unberührt.

Abgesehen davon, daß Wagner trotz seinen Bestrebungen, einen Text (Bewegung) zu schaffen, hier vollkommen in der alten Tradition des Äußerlichen blieb, ließ er das dritte Element ohne Beachtung, welches heute in einer noch primitiven Form vereinzelt angewendet wird[1] – die Farbe und die damit verbundene malerische Form (Dekoration). [109]

Der äußere Vorgang, der äußere Zusammenhang der einzelnen Teile desselben und der beiden Mittel (Drama und Musik) ist die Form der heutigen Oper.

c) Das Ballett ist ein Drama mit allen schon beschriebenen Kennzeichen und demselben Inhalt. Nur verliert hier der Ernst des Dramas noch mehr als in der Oper. In der Oper kommen außer Liebe auch andere Themen vor: religiöse, politische, soziale Verhältnisse sind der Boden, auf welchem Begeisterung, Verzweiflung, Ehrlichkeit, Haß und gleichartige andere Gefühle wachsen. Das Ballett begnügt sich mit Liebe in einer kindlichen Märchenform. Außer Musik werden hier die einzelnen und Gruppenbewegungen zu Hilfe genommen. Alles bleibt in einer naiven Form des äußerlichen Zusammenhanges. Es werden sogar in der Praxis nach Belieben einzelne Tänze eingeschoben oder ausgelassen. Das »Ganze« ist so problematisch, daß solche Operationen vollkommen unbemerkt bleiben.

Der äußere Vorgang, der äußere Zusammenhang der einzelnen Teile und der drei Mittel (Drama, Musik und Tanz) ist die Form des heutigen Balletts.

ad 2. Durch die *zweite Folge des Materialismus,* d. h. durch die positive Addierung ($1 + 1 = 2$, $2 + 1 = 3$), wurde nur eine Kombinierungs- (bzw. Verstärkungs-)form gebraucht, die ein Parallellaufen der Mittel verlangte. Z. B. starke Gemütsbewegung bekommt sofort ein ff. als unterstreichendes Element in der Musik. *Dieses mathematische Prinzip baut auch die Wirkungsformen auf einer rein äußerlichen Basis auf.* [110]

---

[1] S. den Artikel Sabanejews.

S. LUCAS EVANGEL. 3.

1800.

Bayerisches Glasbild

Egyptisch

Alle die genannten *Formen*, die ich Substanzformen nenne (Drama – Wort, Oper – Klang, Ballett – Bewegung), und ebenso die Kombinationen der einzelnen Mittel, die ich Wirkungsmittel nenne, werden zu einer *äußerlichen Einheit* konstruiert. *Da alle diese Formen aus dem Prinzip der äußeren Notwendigkeit entstanden.*

Daraus fließt als logisches Resultat die Begrenzung, die Einseitigkeit (= die Verarmung) der Formen und Mittel. Sie werden allmählich orthodox, und jede minutiöse Änderung erscheint revolutionär.

Stellen wir uns auf den Boden des Innerlichen. Die ganze Sachlage verändert sich wesentlich.

1. Es verschwindet plötzlich der äußere Schein jedes Elementes. Und sein innerer Wert bekommt vollen Klang.

2. Es wird klar, daß bei Anwendung des inneren Klanges der äußere Vorgang nicht nur nebensächlich sein kann, sondern als Verdunklung schädlich.

Kandinsky:
Komposition
No. 5

Van Gogh: Bildnis des Dr. Gachet

Japanischer Holzschnitt (Fragment)

3. Es erscheint der Wert des äußeren Zusammenhangs im richtigen Licht, d. h. als unnötig beschränkend und die innere Wirkung abschwächend.

4. Es kommt von selbst das Gefühl der Notwendigkeit der *inneren Einheitlichkeit,* die durch äußere Uneinheitlichkeit unterstützt und sogar gebildet wird.

5. Es entblößt sich die Möglichkeit, jedem der Elemente das eigene äußere Leben zu behalten, welches äußerlich im Widerspruch zum äußeren Leben eines anderen Elementes steht. [111]

Wenn wir weiter aus diesen abstrakten Entdeckungen praktische schaffen, so sehen wir, daß es möglich ist,

ad 1. nur den inneren Klang eines Elementes als Mittel zu nehmen,

ad 2. den äußeren Vorgang (= Handlung) zu streichen,

ad 3. wodurch der äußere Zusammenhang von selbst fällt, ebenso wie

ad 4. die äußere Einheitlichkeit, und

ad 5. daß die innere Einheitlichkeit eine unzählige Reihe von Mitteln in die Hand gibt, die früher nicht da sein konnten.

Hier wird also zur einzigen Quelle die innere Notwendigkeit.

Die folgende kleine Bühnenkomposition ist ein Versuch, aus dieser Quelle zu schöpfen.

Es sind hier drei Elemente, die zu äußeren Mitteln im *inneren Werte* dienen:

1. musikalischer Ton und seine Bewegung,

2. körperlich-seelischer Klang und seine Bewegung durch Menschen und Gegenstände ausgedrückt,

3. farbiger Ton und seine Bewegung (eine spezielle Bühnenmöglichkeit).

Bayerisches Glasbild

So besteht hier schließlich das Drama aus dem Komplex der inneren Erlebnisse (Seelenvibrationen) des Zuschauers.

ad 1. Von der Oper wurde das Hauptelement – die Musik als Quelle der inneren Klänge – genommen, die in keiner Weise äußerlich dem Vorgang untergeordnet sein muß.

ad 2. Aus dem Ballett wurde der Tanz genommen, welcher als abstrakt wirkende Bewegung mit innerem Klang gebracht wird.

ad 3. Der farbige Ton bekommt eine selbständige Bedeutung und wird als gleichberechtigtes Mittel behandelt. [112]

Alle drei Elemente spielen eine gleich wichtige Rolle, bleiben äußerlich selbständig und werden gleich behandelt, d. h. dem inneren Ziele untergeordnet.

Es kann also z. B. die Musik vollkommen zurückgeschoben oder in den Hintergrund geschoben werden, wenn die Wirkung z. B. der Bewegung ausdrucksvoll genug ist und durch starke musikalische Mitwirkung geschwächt werden könnte. Dem Wachsen der Bewegung in der Musik kann ein Abnehmen der Bewegung im Tanz entsprechen, wodurch beide Bewegungen (positive und negative) größeren inneren Wert bekommen usw. usw. Eine Reihe von Kombinationen, die zwischen den zwei Polen liegen: Mitwirkung und Gegenwirkung. Graphisch gedacht können die drei Elemente vollkommen eigene, voneinander äußerlich unabhängige Wege laufen.

Das Wort als solches oder in Sätze gebunden wurde angewendet, um eine gewisse »Stimmung« zu bilden, die den Seelenboden befreit und empfänglich macht. Der Klang der menschlichen Stimme wurde auch rein angewendet, d. h. ohne Verdunkelung desselben durch das Wort, durch den Sinn des Wortes.

Der Leser wird gebeten, die Schwächen der folgenden kleinen Komposition »Gelber Klang« nicht dem Prinzip zuzuschreiben, sondern sie auf die Rechnung des Verfassers zu stellen. [113]

Der gelbe Klang

Eine Bühnenkomposition von Kandinsky

Der gelbe Klang

Eine Bühnenkomposition [1]

Mitwirkende:

Fünf Riesen

Undeutliche Wesen

Tenor
(hinter der Bühne)

Ein Kind

Ein Mann

Menschen in losem Gewand

Menschen in Trikots

Chor
(hinter der Bühne)

[1] Der musikalische Teil wurde von Thomas v. Hartmann übernommen.

Einleitung

Im Orchester einige unbestimmte Akkorde.

Vorhang.

Auf der Bühne dunkelblaue Dämmerung, die erst weißlich ist und später intensiv dunkelblau wird. Nach einer Zeit wird in der Mitte ein kleines Licht sichtbar, welches mit der Vertiefung der Farbe heller wird. Nach einer Zeit Orchestermusik. Pause.

Hinter der Bühne wird ein Chor hörbar, welcher so eingerichtet werden muß, daß die Quelle des Gesanges nicht zu erkennen ist. Hauptsächlich sind die Baßstimmen zu hören. Das Singen ist gleichmäßig, ohne Temperament, mit Unterbrechungen, die durch Punkte bezeichnet sind. [119]

Erst *tiefe Stimmen:*

»Steinharte Träume . . . Und sprechende Felsen . . .

Schollen mit Rätseln erfüllender Fragen . . .

Des Himmels Bewegung ... Und Schmelzen ... der Steine ...
Nach oben hochwachsend unsichtbarer ... Wall ...«
Hohe Stimmen:
»Tränen und Lachen ... Bei Fluchen Gebete ...
Der Einigung Freude und schwärzeste Schlachten.«
Alle:
»Finsteres Licht bei dem ... sonnigsten ... Tag
            (schnell und plötzlich abhauend).
Grell leuchtender Schatten bei dunkelster Nacht!!«
Das Licht verschwindet. Es wird plötzlich dunkel. Längere
Pause. Dann Introduktion im Orchester. [120]

Französisch (19. Jahrh.)

Deutsch (15. Jahrh.)

Bild 1

(Rechts und links vom Zuschauer.)

Die Bühne muß hier möglichst tief sein. Ganz weit hinten ein breiter grüner Hügel. Hinter dem Hügel glatter, matter, blauer, ziemlich tieffarbiger Vorhang.

Bald beginnt die Musik, erst in hohen Lagen. Dann unmittelbar und schnell zu unteren übergehend. Zur selben Zeit wird der Hintergrund dunkelblau (mit der Musik gleichzeitig) und bekommt schwarze breite Ränder (wie im Bild). Hinter der Bühne wird ein Chor ohne Worte hörbar, welcher ohne Gefühl klingt, ganz hölzern und mechanisch. Nach dem Schluß des Chorgesanges allgemeine Pause: keine Bewegung, kein Klang. Dann Dunkelheit.

Später wird dieselbe Szene beleuchtet. Von rechts nach links werden fünf grellgelbe Riesen (möglichst große) herausgeschoben (es ist wie ein Schweben direkt über dem Boden).

Sie bleiben ganz hinten nebeneinander stehen – mit teils hochgehobenen, teils tiefen Schultern, mit sonderbaren gelben Gesichtern, die undeutlich sind.

Sie wenden *sehr* langsam zueinander die Köpfe und machen einfache Bewegungen mit den Armen.

Die Musik wird bestimmter.

Bald darauf wird das *sehr* tiefe Singen ohne Worte der Riesen vernehmlich (p. p.) und die Riesen nähern sich *sehr* langsam zur Rampe. Schnell fliegen von links nach rechts rote undeutliche Wesen, die *etwas* an Vögel erinnern, große Köpfe haben, die eine entfernte Ähnlichkeit mit menschlichen haben. Dieser Flug spiegelt sich in der Musik ab. [121]

Die Riesen singen weiter und immer leiser. Dabei werden sie auch immer undeutlicher. Der Hügel hinten wächst langsam und wird immer heller. Zum Schluß weiß. Der Himmel wird ganz schwarz.

Hinter der Bühne wird derselbe hölzerne Chor hörbar. Die Riesen hört man nicht mehr.

Die Vorderbühne wird blau und immer undurchsichtiger.

Das Orchester kämpft mit dem Chor und besiegt ihn.

Ein dichter blauer Dunst macht die ganze Bühne unsichtbar. [122]

Egyptisch

Tanzmaske

Russisch

Bild 2

Der blaue Dunst weicht allmählich dem Licht, welches vollkommen und grell weiß ist. Hinten auf der Bühne ein möglichst großer grellgrüner Hügel, ganz rund.

Der Hintergrund violett, ziemlich hell.

Die Musik ist grell, stürmisch, mit sich oft wiederholenden *a* und *h* und *h* und *as*. Diese einzelnen Töne werden schließlich durch die laute Stürmischkeit verschluckt. Plötzlich entsteht vollkommene Stille. Pause. Wieder winseln kläglich, aber bestimmt und scharf *a* und *h*. Das dauert ziemlich lange. Dann wieder Pause.

In diesem Augenblick wird der Hintergrund plötzlich schmutzigbraun. Der Hügel wird schmutziggrün. Und gerade in der Mitte des Hügels bildet sich ein unbestimmter schwarzer Fleck, welcher bald deutlich, bald verwischt erscheint. Bei jedem Wechsel der Deutlichkeit wird das grelle weiße Licht stoßweise grauer. Links auf dem Hügel wird plötzlich eine *große* gelbe Blume sichtbar. Sie ist entfernt einer großen, krummen Gurke ähnlich und wird immer greller. Der Stiel ist lang und dünn. Nur ein stacheliges schmales Blatt wächst aus der Mitte des Stieles heraus und ist seitwärts gerichtet. Lange Pause. [123]

Später bei *voller Stille* schaukelt die Blume sehr langsam von rechts nach links. Noch später auch das Blatt, aber nicht zusammen. Noch später schaukeln beide in ungleichem Tempo. Dann wieder einzeln, wobei mit der Blumenbewegung ein sehr dünnes h klingt, mit der Blattbewegung – ein sehr tiefes a. Dann schaukeln wieder beide zusammen, und beide Töne klingen mit. Die Blume erzittert stark und bleibt unbeweglich. In der Musik klingen die beiden Töne weiter. Zur selben Zeit kommen von links viele Menschen in grellen, langen, formlosen Kleidern (der eine ist ganz blau, der zweite – rot, der dritte – grün usw., nur fehlt das Gelb). Die Menschen haben in der Hand sehr große weiße Blumen, die der Blume auf dem Hügel ähnlich sind. Die Menschen halten sich möglichst nahe aneinander, gehen dicht am Hügel vorbei und bleiben auf der rechten Seite der Bühne fest aneinandergepreßt stehen. Sie sprechen mit gemischten Stimmen und rezitieren:

»Die Blumen bedecken alles, bedecken alles, bedecken alles.
Schließ die Augen! Schließ die Augen!
Wir schauen. Wir schauen.
Bedecken mit Unschuld Empfängnis.
Öffne die Augen! Öffne die Augen!
Vorbei. Vorbei.«

Erst sprechen sie das alle zusammen wie in Ekstase (sehr deutlich). Dann wiederholen sie dasselbe einzeln: der eine dem andern und in die Fernen – Alt-, Baß- und Sopranstimme. Bei »wir schauen, wir schauen« klingt *h*, bei »vorbei, vorbei« – *a*. Hier und da wird die Stimme heiser. Hier und da schreit einer wie besessen. Hier und da wird die Stimme nasal, bald langsam, bald rasend schnell. Im ersten Falle wird plötzlich die ganze Bühne durch mattes rotes Licht undeutlich. Im zweiten wechselt volle Dunkelheit mit grellem blauem Licht ab. Im dritten – wird alles plötzlich fahlgrau (alle Farben verschwinden!). Nur die gelbe Blume leuchtet noch stärker!

Allmählich beginnt das Orchester und bedeckt die Stimmen. Die Musik wird unruhig, macht Sprünge vom ff. zum pp. Das Licht wird etwas heller, und undeutlich erkennt man die Farben der Menschen. Von rechts nach links gehen sehr langsam über den Hügel ganz kleine Figürchen, die undeutlich und von grüngrauer Farbe eines unbestimmten Tones sind. Sie schauen vor sich. In dem Augenblick, als die erste Figur sichtbar wird, schaukelt wie in Krämpfen die gelbe Blume. Später verschwindet sie plötzlich. Ebenso plötzlich werden alle weißen Blumen gelb.

Die Menschen gehen langsam wie im Traum zur Vorderbühne und entfernen sich immer mehr voneinander. [124]

Die Musik sinkt, und wieder hört man dasselbe Rezitativ[1]. Bald bleiben die Menschen stehen wie in einer Verzückung und wenden sich um. Sie bemerken plötzlich die kleinen Figürchen, die noch immer in unendlicher Folge über den Hügel gehen. Die Menschen wenden sich ab und machen einige schnelle Schritte zur Vorderbühne, bleiben wieder stehen, wenden sich wieder um und bleiben wie gebunden unbeweglich[2]. Endlich werfen sie die wie

---

[1] Ein halber Satz zusammen gesprochen; Ende vom Satz *eine* Stimme sehr undeutlich. Das oft abwechselnd.

[2] Diese Bewegungen müssen wie auf Kommando ausgeführt werden.

Hier lieg ich als ein Kind, bis ich als Richter straff d. Sünd.

Bayerisches Glasbild

mit Blut erfüllten Blumen von sich und laufen, sich von der
Starrheit mit Gewalt befreiend, eng aneinander zur Vorderbühne.
Sie schauen sich oft um[1]. Es wird plötzlich dunkel. [125]

[1] Diese Bewegungen müssen nicht im Takt gehen.

Russisch

Bild 3

Hinterbühne: Zwei große rotbraune Felsen, der eine spitz, der andere rundlich und größer als der erste. Hintergrund: Schwarz. Zwischen den Felsen stehen die Riesen (des Bildes 1) und flüstern einander klanglos etwas zu. Bald flüstern sie paarweise, bald nähern sich alle Köpfe einander. Der Körper bleibt unbeweglich. In schneller Abwechslung fallen von allen Seiten grellfarbige Strahlen (blau, rot, violett, grün wechseln mehrere Male). Dann treffen sich alle diese Strahlen in der Mitte, wodurch sie gemischt werden. Es bleibt alles unbeweglich. Die Riesen sind beinahe gar nicht sichtbar. Plötzlich verschwinden alle Farben. Es wird einen Augenblick schwarz. Dann fließt auf die Bühne ein mattes gelbes Licht, welches allmählich immer intensiver wird, bis die ganze Bühne grell zitronengelb wird. Mit der Steigerung des Lichtes geht die Musik

Russisch

in die Tiefe und wird immer dunkler (diese Bewegung erinnert an das Hineindrücken einer Schnecke in ihre Muschel). Zur Zeit dieser zwei Bewegungen soll auf der Bühne nichts wie Licht gesehen werden: keine Gegenstände. Das grellste Licht ist erreicht, die Musik ist ganz geschmolzen. Die Riesen werden wieder deutlich, sind unbeweglich und schauen vor sich hin. Die Felsen erscheinen nicht mehr. Nur die Riesen sind auf der Bühne: sie stehen jetzt weiter voneinander und sind größer geworden. Hintergrund und Boden schwarz. Lange Pause. Plötzlich hört man hinter der Bühne eine grelle, angsterfüllte Tenorstimme, die vollkommen undeutliche Worte sehr schnell schreit (oft hört man a: z. B. Kalasimunafakola!). Pause. Es wird für einen Augenblick dunkel. [126]

Bild 4

Links auf der Bühne ein kleines schiefes Gebäude (einer sehr einfachen Kapelle ähnlich) ohne Tür und Fenster. An der Seite des Gebäudes (vom Dach heraus) ein schmales, schiefes Türmchen mit einer kleinen gesprungenen Glocke. Von der Glocke eine Schnur. Am untern Ende der Schnur zieht langsam und gleichmäßig ein kleines Kind, welches ein weißes Hemdchen an hat und auf dem Boden sitzt (zum Zuschauer gewendet). Rechts auf derselben Linie steht ein sehr dicker Mann, ganz schwarz gekleidet. Das Gesicht ganz weiß, sehr undeutlich. Die Kapelle ist schmutzigrot. Der Turm grellblau. Die Glocke aus Blech. Hintergrund grau, gleichmäßig, glatt. Der schwarze Mann steht breitbeinig und stemmt die Hände in die Hüften.

Der Mann (sehr laut, befehlend; schöne Stimme): »Schweigen!!«
Das Kind läßt die Schnur aus der Hand. Es wird dunkel. [127]

Bild 5   Egyptisch

Die Bühne wird allmählich in ein kaltes rotes Licht getaucht, welches langsam stärker und ebenso langsam gelb wird. In diesem Augenblicke werden die Riesen hinten sichtbar (wie im Bild 3). Auch dieselben Felsen sind da.

Die Riesen flüstern wieder (wie im Bild 3). Zu der Zeit, wenn ihre Köpfe wieder zusammen sind, hört man hinter der Bühne denselben Schrei, aber sehr schnell und kurz. Es wird einen Augenblick dunkel: Derselbe Vorgang wiederholt sich noch einmal[1]. Nach dem Hellwerden (weißes Licht, ohne Schatten) flüstern wieder die Riesen, machen aber dazu schwache Bewegungen mit den Händen (diese Bewegungen müssen verschieden, aber schwach sein). Hier und da streckt einer die Arme auseinander (auch diese Bewegung muß mehr nur eine Andeutung sein) und legt etwas den Kopf auf die Seite, auf die Zuschauer schauend. Zweimal lassen alle Riesen die Arme plötzlich hängen, werden etwas größer und schauen ohne jede Bewegung auf die Zuschauer. Dann geht eine Art Krampf durch ihre Körper (wie bei der gelben Blume), und sie

---

[1] Jedesmal muß natürlich auch die Musik wiederholt werden.

flüstern wieder, hier und da die Arme schwach [128] und wie klagend ausstreckend. Die Musik wird allmählich greller. Die Riesen bleiben unbeweglich. Von links erscheinen viele Menschen, in verschiedenfarbige Trikots gekleidet. Die Haare sind mit entsprechender Farbe verdeckt. Ebenso die Gesichter. (Die Menschen sind wie Gliederpuppen.) Erst kommen graue, dann – schwarze, weiße und schließlich farbige Menschen. Die Bewegungen sind verschieden in jeder Gruppe: der eine geht schnell und geradeaus, der andere – langsam, wie mit Mühe, der dritte macht hier und da lustige Sprünge, der vierte guckt sich immer um, der fünfte kommt mit feierlichen theatralischen Schritten und hat gekreuzte Arme, der sechste geht auf Fußspitzen mit einer erhobenen flachen Hand usw.

Alle verteilen sich verschieden auf der Bühne: einige sitzen in kleinen geschlossenen Gruppen, einige vereinzelt. Ebenso stehen manche in Gruppen, andere wieder allein. Die ganze Verteilung soll weder »schön« noch sehr bestimmt sein. Sie muß aber auch *kein vollkommenes* Durcheinander bilden. Die Menschen blicken zu verschiedenen Seiten, manche haben hocherhobene Köpfe, manche gesenkte und tiefgesenkte. Wie durch eine Mattigkeit gedrückt, ändern sie selten ihre Stellungen. Das Licht bleibt immer weiß. Die Musik ändert oft das Tempo, hier und da wird auch sie matt. Gerade in so einem Augenblick macht ein weißer Mensch links (ziemlich hinten) unbestimmte, aber viel schnellere Bewegungen bald mit den Armen, bald mit den Beinen. Hier und da behält er eine Bewegung längere Zeit und bleibt in entsprechender Stellung einige Augenblicke. Es ist wie eine Art Tanz. Nur ändert sich auch das Tempo oft, wobei es manchmal mit der Musik zusammengeht und manchmal auseinander. (Dieser einfache Vorgang muß besonders sorgfältig ausgearbeitet werden, damit das Weitere ausdrucksvoll und überraschend wirkt.) Die andern Menschen fangen allmählich an, auf den Weißen zu gucken. Manche strecken die Hälse aus. Schließlich schauen alle auf ihn. Dieser Tanz endet aber ganz plötzlich: der Weiße setzt sich, streckt wie in feierlicher Vorbereitung einen Arm aus und, diesen Arm langsam im Ellbogen biegend, nähert er ihn dem Kopfe. Die allgemeine Spannung wird besonders ausdrucksvoll. Der Weiße stützt aber den Ellbogen auf das Knie und legt auf die flache Hand den Kopf. Es wird einen Augenblick dunkel. Dann sieht man dieselben Gruppen und Stellungen. Manche Gruppen werden von oben mehr oder weniger stark verschiedenfarbig beleuchtet: eine größere sitzende Gruppe wird stark rot beleuchtet, eine größere stehende – blaßblau usw. Das grelle gelbe Licht ist (außer den Riesen, die jetzt besonders deutlich werden) nur auf dem sitzenden Weißen konzentriert. Plötzlich verschwinden alle Farben (die Riesen bleiben gelb), und ein weißes dämmeriges Licht erfüllt die Bühne. Im Orchester fangen einzelne Farben an zu sprechen. Dem korrespondierend erheben sich an verschiedenen Stellen einzelne Figuren: schnell, hastig, feierlich, langsam und schauen dabei nach oben. Manche bleiben stehen. Manche setzen sich wieder. Dann übermannt alle wieder eine Mattigkeit, und alles bleibt unbeweglich.

[129]

Die Riesen flüstern. Aber auch sie bleiben jetzt unbeweglich und aufgerichtet, da hinter der Bühne der hölzerne Chor hörbar wird, welcher nur kurze Zeit klingt.

Dann hört man im Orchester wieder einzelne Farben. Über die Felsen streift ein rotes Licht, und sie erzittern. Abwechselnd mit dieser Beleuchtung erzittern die Riesen.

An verschiedenen Enden wird eine Bewegung bemerkbar.

Im Orchester wiederholen sich mehrere Male *h* und *a*: einzeln, zusammenklingend, bald sehr scharf, bald – kaum hörbar.

Verschiedene Menschen verlassen ihre Plätze und gehen bald schnell, bald langsam zu anderen Gruppen. Die einzelnstehenden bilden kleinere Gruppen zu zwei und drei Menschen oder verteilen sich in größeren. Große Gruppen zerfallen. Manche Menschen laufen eilend von der Bühne, sich umschauend. Dabei verschwinden alle schwarzen, grauen und weißen Menschen: es bleiben schließlich nur bunte auf der Bühne.

Allmählich ist alles in arhythmischer Bewegung. Im Orchester – ein Durcheinander. Der grelle Schrei des Bildes 3 wird hörbar. Die Riesen zittern. Verschiedene Lichter streifen die Bühne und kreuzen sich.

Ganze Gruppen laufen von der Bühne. Es entsteht ein allgemeiner Tanz: er fängt an verschiedenen Stellen an und zerfließt allmählich, alle Menschen mitreißend. Laufen, Springen, Laufen zueinander und voneinander, Fallen. Manche bewegen hastig im Stehen nur die Arme, die andern nur die Beine, nur den Kopf, nur den Rumpf. Manche kombinieren alle diese Bewegungen. *Manchmal* sind es Gruppenbewegungen. Ganze Gruppen machen *manchmal* eine und dieselbe Bewegung.

In dem Augenblicke, wo das größte Durcheinander im Orchester, in den Bewegungen und Beleuchtungen erreicht wird, wird es *plötzlich* dunkel und still. Nur in der Tiefe der Bühne bleiben die gelben Riesen sichtbar, die nur langsam von der Dunkelheit verschluckt werden. Es scheint, daß die Riesen wie eine Lampe auslöschen, d. h. vor der vollen Dunkelheit zuckt einige Male das Licht. [130]

Bild 6

(Dieses Bild muß *so schnell wie möglich* kommen.)

Blauer matter Hintergrund, wie im Bild 1 (ohne schwarze Ränder).

In der Mitte der Bühne ein hellgelber Riese mit einem weißen undeutlichen Gesicht mit großen, runden, schwarzen Augen. Hintergrund und Boden schwarz.

Er hebt langsam dem Körper entlang beide Arme (die Handflächen nach unten) und wächst dabei in die Höhe.

Im Augenblick, in welchem er die ganze Höhe der Bühne erreicht und seine Figur einem Kreuz gleicht, wird es *plötzlich* dunkel. Die Musik ist ausdrucksvoll, dem Vorgang auf der Bühne ähnlich. [131]

dem blauen fra - gt für ihr

9/12. 1911

AUS DEM „GLÜHENDEN" VON ALFRED MOMBERT

Alban Berg, Op.2. Nº 4

*) Der Vorschlag ruhig und langsam zu nehmen!

S. 9540

Eich-stamm, krank sind ih-re zar-ten Wan-gen, die grau-en Au-gen fie-bern durch

Dü-ster-rie-sen-stäm me. „Er kommt noch nicht.

Er läßt mich war-ten..." Stirb! Der Ei-ne

stirbt, da-ne-ben der An-dre lebt: Das macht die Welt so tief schön.

„Ihr tratet zu dem herde____" aus dem „Jahr der Seele"

von STEFAN GEORGE

Für eine Singstimme und Klavier von ANTON von WEBERN

Ihr tra - tet zu dem her - de wo al - le glut ver -

starb, Licht war nur an der er - de vom mon - de lei - chen - farb. Ihr

tauch - tet in die a - schen die blei - chen fin - ger ein mit

su - chen ta - sten ha - schen___ Wird es noch ein - mal schein!

Seht was mit trost - ge - ber - de der mond euch rät: Tre - tet

weg vom her - de, es ist wor - den spät.

Moderne Galerie
Heinrich Thannhauser
MÜNCHEN   THEATINERSTR. 7

Werke erster Meister

Künstler der Secessionen

Moderne Franzosen

Der blaue Reiter

 RTIKEL:

GUATEMALA

REPRODUKTIONEN:

[1]) Dieser und die anderen altdeutschen Holzschnitte unseres Buches wurden entnommen der Werke von Dr. Wilhelm Worringer, Die altdeutsche Buchillustration, München, 1912, R. Piper & Cc Verlag.

[2]) Die bayerischen Spiegel- und Glasbilder wurden uns zum Zweck der Reproduktion von Herr Braumeister Krötz, Murnau, zur Verfügung gestellt. Diese Art religiöser Volkskunst wurde besonder im 18. und bis Mitte des 19. Jahrhunderts in Bayern und Oesterreich gepflegt.

------

[1]) Die hier reproduzierten egyptischen Schattenspielfiguren wurden uns von Herrn Dr. Paul Kahle, Halle, aus seiner Sammlung freundlichst zur Verfügung gestellt. Dr. Kahle hat diese Figuren auf seinen egyptischen Reisen gesammelt zu einer Arbeit, die im „Islam" erschienen ist.

[2]) Diese Art Blätter wurde hauptsächlich im Anfang bis Mitte des 19. Jahrhunderts in Moskau gemacht (die Tradition geht natürlich sehr weit zurück). Sie wurden durch wandernde Buchhändler bis in die verstecktesten Dörfer zum Verkauf gebracht. Man sieht sie noch heute in den Bauernhäusern, wenn sie auch stark durch Lithographien, Oeldrucke etc. verdrängt werden.

EINZELNE BUCHSTABEN UND VIGNETTEN:

MUSIKBEILAGEN:

HERZGEWÄCHSE (M. Maeterlink) für Sopran, Celesta, Harmonium und Harfe
von Arnold Schönberg (mit Genehmigung der Universal-Edition Wien)
Aus dem „GLÜHENDEN" (Alfred Mombert) von Alban Berg (mit Genehmigung
der Schlesingerschen Buch- und Musikhandlung, Berlin).
IHR TRETET ZU DEM HERDE (Stefan George) von Anton v. Webern.

✻   ✻
✻

Wir nehmen hier die Gelegenheit wahr, uns bei allen unseren
freundlichen Helfern und Mitarbeitern aufs wärmste zu bedanken.

KOMMENTAR
von Klaus Lankheit

Die Geschichte des Almanachs

Die Vorgeschichte

Im Jahre 1911 erschien bei Albert Langen in München ein Bändchen von Victor Auburtin mit dem alarmierenden Titel »Die Kunst stirbt«. Die Thesen des Verfassers wurden scharf und höchst aggressiv vorgetragen. »Die Kunst« – hieß es da – »stirbt an der Masse und an der Nützlichkeit. Sie stirbt, weil der Boden, den sie braucht, verbaut wurde, der Boden der Naivität und des Wahnes ... Kunst und Wissenschaft werden in jedem Toast am patriotischen Feiertage nebeneinander genannt und sind dem Idioten wohl auch ungefähr dasselbe. Sie sind Todfeindinnen, und wo die eine ist, da flieht die andere.« So aktuell und aufrüttelnd diese Worte noch heute klingen mögen, so sehr überrascht doch zugleich die Feststellung: »Wir müssen eben sagen, daß wir jetzt keine künstlerische Idee mehr haben ... zum ersten Male sind wir in eine Zeit ohne Richtung eingetreten, in eine Zeit ohne künstlerischen Stil, ohne revoltierende Jugend.«

Man mag jenen Jahren vor dem Weltkrieg vieles nachsagen: aber daß es auf künstlerischem Gebiet keine revoltierende Jugend gegeben habe, erscheint uns Heutigen zunächst als eine absurde Behauptung. Gärte es doch allenthalben, schloß man sich doch überall zu Gruppen und Grüppchen zusammen, um seinen Ansichten eine größere Durchschlagskraft gegenüber der offiziellen Richtung zu geben. Gerade in München, wo seit 1896 die beiden satirischen Zeitschriften »Jugend« und »Simplizissimus« ihrem Spott freien Lauf ließen, war schon um dieselbe Zeit – 1892 – die älteste der

»Sezessionen« innerhalb des deutschsprachigen Kulturbereichs gegründet und damit der Akademie ein Fehdehandschuh hingeworfen worden. Doch die Revolutionäre von damals waren längst selbst in Professuren aufgerückt. Andere Zusammenschlüsse wie die »Scholle« verfielen einem ähnlichen Schicksal der Stagnation. Ein junger Doktor der Kunstgeschichte, Wilhelm Worringer, übte 1909 schonungslose Kritik: »Die Sezession hat Fett angesetzt. Im Frühjahr und Sommer die gleiche Atmosphäre saturierter Existenz, die gleiche Glaspalastluft, die gleiche Marktreife des Gebotenen. Um die bürgerliche Behäbigkeit zu kaschieren, läßt man sich von Paris einige Sensationen kommen, die auf regulärem Wege, d. h. wenn sie aus irgendeinem Schwabinger Atelier eingeschickt worden wären, niemals die Jury passiert hätten . . .«[1]

Worringer wußte offenbar, daß sich in der bayerischen Hauptstadt selbst neue Kräfte regten. Der »visionäre Advent«, den Hugo Ball wenig später anbrechen sah, kündigte sich bereits an. Eben zu Beginn dieses Jahres 1909 war in Schwabing die »Neue Künstlervereinigung München« ins Leben gerufen worden. »Die ersten und einzigen ernsthaften Vertreter der neuen Ideen« – schrieb Franz Marc rückblickend im »Blauen Reiter« – »waren in München zwei Russen, die seit vielen Jahren hier lebten und in aller Stille wirkten, bis sich ihnen einige Deutsche anschlossen. Mit der Gründung der Vereinigung begannen dann jene schönen, seltsamen Ausstellungen, die die Verzweiflung der Kritiker bildeten.« Diese von Marc erwähnten Russen waren Wassily Kandinsky und Alexej von Jawlensky. Kandinsky hat die Ziele und die Entstehungsgeschichte der Vereinigung aus eigenem Erleben geschildert:

»Die Mitgliederliste zeigte Namen internationalen Charakters – Deutschland, Frankreich, Österreich, Rußland, Italien . . . Außer dieser Verbindung verschiedener Länder zu einem Zweck, den wir alle für den höchsten hielten, gab es noch eine, die damals neu war: außer Malern und Bildhauern wurden zu Mitgliedern auch

Musiker, Dichter, Tänzer und Kunsttheoretiker gewählt. D. h. wir suchten Einzelerscheinungen, die bis dahin nicht nur äußerlich, sondern auch innerlich voneinander getrennt waren, zu einem ›Eins‹ zu verbinden ... Ohne einen ›Deus ex machina‹ wäre aber aus allen diesen begeisterten Plänen nichts geworden, da wir für unsre Ausstellungen einen Kunsthändler brauchten und keinen bekamen. Zu diesem kritischen Augenblick hörten wir, daß Geheimrat Hugo v. Tschudi als Generaldirektor der sämtlichen bayrischen Museen berufen wurde. Es war natürlich ziemlich kühn (manche sagten ›leichtsinnig‹, manche – ›frech‹), diesen großen Mann um Hilfe zu bitten. Er war aber nicht nur ein großer Mann, sondern auch ein Großer Mann ... Heinrich Thannhauser hatte damals vielleicht die schönsten Ausstellungsräume in ganz München, und diese Räume erzwang Tschudi bei ihm ... Die Presse ließ ihre ganze Wut gegen die Ausstellung los, das Publikum schimpfte, drohte, spuckte ... auf die Bilder ... Für uns Aussteller war die Empörung unverständlich ... Wir wunderten uns nur, daß in der ›Kunststadt‹ München mit Ausnahme von Tschudi aus keiner Stelle ein Sympathiewort an uns gerichtet wurde. Und eines Tages kam dieses Wort. Thannhauser zeigte uns einen Brief von einem uns noch unbekannten Münchner Maler, der uns zur Ausstellung beglückwünschte und seine Begeisterung in ausdrucksvollen Worten kundgab. Dieser Maler war ein ›echter Bayer‹, Franz Marc.«[2]

Aus der von Schwung beseelten, mitreißend formulierten Streitschrift Marcs, mit welcher der Dreißigjährige für die »völlig vergeistigte und entmaterialisierte Innerlichkeit der Empfindung« jener Werke eintrat, spricht, nicht weniger als aus den empörten Pressestimmen, der revolutionäre Eindruck, den die Ausstellungen der »Neuen Vereinigung« hinterließen.[3] Zu Unrecht wird oft vergessen, wieviel die Meister des »Blauen Reiters« den Ereignissen der Jahre 1909 und 1910 verdankten. Der Durchbruch der modernen

Kunst am Vorabend des Weltkrieges erfolgte ja gerade in München in zwei Wellen, die eben mit den Begriffen »Neue Künstlervereinigung« und »Der Blaue Reiter« bezeichnet werden. Daß der zweite Schritt nicht ohne den ersten hätte getan werden können, sollte man um so mehr in der Erinnerung behalten, als sich ein Zerfall der Gemeinschaft historisch mit Notwendigkeit ergab. Zunächst freilich begrüßten die Mitglieder der N.K.V.M. einhellig die publizistische Unterstützung, sie forderten Marc zum Beitritt auf und wählten ihn in den Vorstand.

Bald jedoch, schon im Frühjahr 1911, begann sich innerhalb der Gruppe eine zunächst nur leichte Spannung bemerkbar zu machen, die sich – in der Tiefe auf unüberbrückbaren menschlichen und künstlerischen Gegensätzen beruhend – infolge von Meinungsverschiedenheiten in Juryfragen nach vorübergehendem Ausgleich verschärfte. Wortführer der einen Partei waren Adolf Erbslöh und Alexander Kanoldt; auf der anderen Seite standen vor allem Kandinsky und Marc. Am 10. August schilderte dieser nach einer Vorstandssitzung in scharfen Worten dem Freund August Macke die Lage:

> »Ich sehe, mit Kandinsky, klar voraus, daß die nächste Jury (im Spätherbst) eine schauerliche Auseinandersetzung geben wird und jetzt oder das nächste Mal dann eine Spaltung, resp. Austritt der einen oder anderen Partei: und die Frage wird sein, welche *bleibt* . . .«[4]

Wenige Monate später kam es zu der vorausgesehenen Trennung. Die beiden Freunde traten am 2. Dezember aus dem Verein aus; einige andere Mitglieder, wie Gabriele Münter, Alfred Kubin, Thomas von Hartmann und Henri Le Fauconnier, erklärten sich mit ihnen solidarisch. Den letzten Anlaß bildete die Zurückweisung der zur Winterausstellung eingereichten »Komposition V« von Kandinsky durch die Vereinsjury (Abbildung S. 203). Einen Tag nach dem Bruch schrieb Marc seinem Bruder:

»Die Würfel sind gefallen. Kandinsky und ich sind … aus dem Verein ausgetreten … Nun heißt's zu zweit weiterkämpfen! Die ›Redaktion des Blauen Reiters‹ wird jetzt der Ausgangspunkt von neuen Ausstellungen. Ich denke, es ist ganz gut so. Wir werden suchen, das Zentrum der modernen Bewegung zu werden. Die Vereinigung kann dann die Rolle der neuen ›Scholle‹ übernehmen.«[5]

Und Kandinsky schilderte viele Jahre danach die Gegenaktion noch ausführlicher:

»Da wir beide den ›Krach‹ schon früher witterten, hatten wir eine andre Ausstellung vorbereitet, und Thannhauser stellte uns seine Räume zur Verfügung, – direkt neben den Ausstellungsräumen der ›N.K.V.M.‹. Im Katalog unsrer Ausstellung haben wir erklärt, daß die Ausstellung nicht eine spezielle Richtung zu propagieren beabsichtigt, sondern die Mannigfaltigkeit der Kunstausdrücke zur Basis hat. Die ›Front‹ umfaßte den ›linken‹ (damals erst geborenen ›abstrakten‹) Flügel und den ›rechten‹ (rein ›realistischen‹). Diese synthetische Basis war damals neu, ist allerdings bis heute neu geblieben. Als Veranstalter der Ausstellung haben wir die Redaktion des ›Blauen Reiters‹ genannt, da wir bereits an diesem Buch arbeiteten.«[6]

In fieberhafter Eile wurde die »Erste Ausstellung der Redaktion ›Der Blaue Reiter‹« zusammengebracht und am 18. Dezember 1911 eröffnet (Abbildung S. 272). Sie wanderte später durch Deutschland, und Herwarth Walden vom Berliner STURM sollte sie noch 1914 – in mehrmaligem Austausch der Werke – ins Ausland bringen. Schon während sie in München hing, faßten Marc und Kandinsky den Plan zu einer weiteren Veranstaltung. Diese »Zweite Ausstellung der Redaktion ›Der Blaue Reiter‹« fand im März 1912 in der Kunsthandlung Goltz statt und beschränkte sich auf Aquarelle, Zeichnungen und Druckgraphik. Keine Schilderung der deutschen Kunst des 20. Jahrhunderts, welche diesen Ausstellungen nicht breiten Raum widmete! Eine erneute Würdigung braucht darum hier nicht versucht zu werden. In unserem Zusammenhang muß vielmehr nachdrücklich auf den von Marc und Kandinsky überlieferten Sachverhalt verwiesen werden: Die Ausstellungen wurden durch die »Redaktion« eines geplanten Buches veranstaltet – und diese Veröffentlichung sollte den Namen »Der Blaue Reiter« tragen. »Der Blaue Reiter« war also ursprünglich nur ein Buchtitel und wurde von daher auf die Ausstellungen übertragen.

»In Wirklichkeit« – heißt es in jenem 1935 niedergeschriebenen Bericht Kandinskys weiter – »gab es nie eine Vereinigung ›Der Blaue Reiter‹, auch keine ›Gruppe‹, wie es oft irrtümlich geschrieben wird. Marc und ich nahmen das, was uns richtig erschien, was wir frei wählten ohne sich um irgendwelche Meinungen oder Wünsche zu kümmern.« Und mit ironischem Seitenblick sagte Kandinsky: »So beschlossen wir, unsren ›Blauen Reiter‹ auf eine ›diktatorische‹ Art zu leiten. Die ›Diktatoren‹ waren selbstverständlich Franz Marc und ich.«[7]

Und doch gehören – kunstgeschichtlich gesehen – Ausstellungen und Buch zusammen. Sie wurden von denselben Überzeugungen getragen und nach denselben Prinzipien durchgeführt. Auch zeitlich liefen die Unternehmungen nebeneinander her. So wird denn heute der Name »Der Blaue Reiter« nicht ohne Grund ebenso auf das Buch wie auf die Ausstellungen bezogen. Ja, weil die Künstler, deren Bilder man bei Thannhauser und Goltz zeigte, zum großen Teil zugleich als Mitarbeiter des Almanachs gewonnen worden waren, übertrug sich diese Bezeichnung schließlich sogar auf den weiteren Kreis von Gleichgesinnten. Aber »Der Blaue Reiter« – in doppelter Gestalt – war letztlich doch die ganz persönliche Leistung zweier kongenialer Persönlichkeiten.

Der Plan zu dem Almanach
und die Arbeit der Herausgeber

Bereits im Juni 1911 – also *bevor* sich die Gegensätze zugespitzt hatten und eine Trennung der Freunde von der Vereinigung beabsichtigt war – faßte Kandinsky den Plan zu einem Jahrbuch. Am 19. dieses Monats weihte er Marc in den Plan ein:

»Nun! ich habe einen neuen Plan. Piper muß Verlag besorgen und wir beide ... die Redakteure sein. Eine Art Almanach (Jahres=) mit Reproduktionen und Artikeln und *Chronik!!* d. h. Berichte über Ausstellungen=Kritik ... nur von *Künstlern* stammend. In dem Buch muß sich das ganze Jahr spiegeln, und eine Kette zur Vergangenheit und ein Strahl in die Zukunft müßen diesem Spiegel das volle Leben geben. Bezahlt werden die Autoren eventuell nicht. Eventuell bezahlen sie selbst ihre Chlichés. usw. usw. Da bringen wir einen Ägypter neben einem kleinen Zeh [Name zweier Kinder mit zeichnerischer Begabung], einen Chinesen neben Rousseau, ein Volksblatt neben Picasso u. drgl. noch viel mehr! Allmählich kriegen wir Litteraten und Musiker. Das Buch kann › Die Kette‹ heißen oder auch anders ... Sprechen Sie nicht darüber. Oder nur dann, wenn es direkt uns nutzen kann. In solchen Fällen ist › Diskretion‹ sehr wichtig. «[8]

Dieser Brief vom 19. Juni 1911 ist die Geburtsurkunde des »Blauen Reiters«. Auf Kandinsky, der Marc an Lebensalter und Erfahrung weit voraus war, muß die erste Idee zurückgeführt werden. Sie enthält bereits wesentliche Grundgedanken der Veröffentlichung: die Einsetzung der beiden Malerfreunde als Redaktion, die Auswahl der Autoren aus der Künstlerschaft, das Einbeziehen neuester ausländischer Arbeiten, aber auch der ägyptischen und ostasiatischen Kunst, der Volkskunst, Kinderkunst und Laienmalerei. Besonders hervorzuheben ist dabei das Prinzip der vergleichenden Gegenüberstellung von Werken der verschiedenen Bereiche und Epochen. Die

Synthese zwischen den Künsten soll durch das Ausgreifen auf Literatur und Musik gefördert werden. Schließlich werden auch praktische Vorschläge zur Verwirklichung des Vorhabens gemacht: Kandinsky nennt schon einen bestimmten Verleger und ist sich klar darüber, daß die erheblichen Herstellungskosten entscheidend durch das Einsparen der Honorare und der Ausgaben für die Klischees gesenkt werden könnten.

Franz Marc griff diesen Plan begeistert auf. Er verfügte über alle Voraussetzungen eines ebenbürtigen Mitherausgebers. Wie sich sein Bruder erinnerte, hatte er bereits 1910 über die Gründung einer eigenen Zeitschrift gesprochen. Als glänzender Stilist hatte er sich durch sein Eintreten für die »Neue Künstlervereinigung« im kunstpolitischen Tageskampf ausgewiesen. So konnte Kandinsky auf die »feine, verständnis- und talentvolle geistige Mitarbeit und Hilfe« des Freundes nicht verzichten; und dieser lieh freudig seine organisatorischen Gaben und seine Feder.

Die nächsten Wochen und Monate waren erfüllt von einer fieberhaften Tätigkeit der beiden »Redakteure«. Ein Brief Kandinskys vom 1. September 1911 vermittelt eine höchst farbige Vorstellung von dem übersprudelnden Reichtum der Gedanken, von der beschwingten Energie und von der wahrhaft imponierenden Breite, auf die man sich zu stützen hoffte.

»Ich dagegen habe Hartmann geschrieben, von unserer Union berichtet und ihm den Titel des ›Bevollmächtigten Mitarbeiter für Rußland‹ verliehen. Und ausdrücklich verlangt, daß er tiefseelig fühlt, was Dies bedeutet. Auch an Le Fauconnier schrieb ich ... [Bei] Hartmann habe ich einen Artikel über armenische Musik bestellt und eine musikalische Correspondenz aus Rußland ... Über die italienische musikalische Bewegung haben wir etwas Material in dem Manifest der ›Futuristi‹, welches mir zugeschickt wurde. Schönberg *muß* über deutsche Musik schreiben. Le Fauconnier *muß* einen Franzosen besorgen. Musik und

Malerei werden schon ordentlich beleuchtet. Etwas Noten sollen auch drin sein. Schönberg hat ja z. B. Lieder. Man könnte eventuell Pechstein auffordern, eine Berliner Correspondenz zu schreiben: wenig verantwortlich und dabei prüfen wir seine Kräfte. Frl. Worringer über Gereonsclub und seine Ziele. Paßen Sie auf! Wir kriegen schon einen richtigen Puls in unser liebes Heft. Ein Stück aus Tschudi'schen ›Galeriedirektor‹ dürfen wir auch bringen. Wir müßen eben zeigen, daß *überall* was vorkommt. Wir bringen etwas von der rußischen religiösen Bewegung, wo *alle* Schichten beteiligt sind. Dafür habe ich meinen ehemaligen Collegen Prof. Bulgakoff (Moskau, Nationalökonom und einer der tiefsten Kenner des religiösen Lebens.) Theosophen müßen kurz und stark (wenn möglich statistisch) erwähnt werden.« [9]

Von Paris bis Moskau und von Berlin bis Mailand sollte sich der Bogen spannen, international wie die Malerei die Musik vertreten sein, die Kunst mit den religiösen Strömungen konfrontiert werden. Kandinskys Freundschaft mit dem russischen Komponisten Thomas von Hartmann und seine Bekanntschaft mit Arnold Schönberg aus Wien boten die Gewähr, daß die Musik repräsentativ vertreten sein würde. Henri Le Fauconnier war Mitglied der »Neuen Künstlervereinigung München« und schien als Vizepräsident der »Indépendants« die geeignete Persönlichkeit zur Berichterstattung aus Frankreich. Max Pechstein galt als Haupt der »Neuen Sezession« in Berlin, die seit 1911 alle revolutionären Elemente – vor allem der ehemaligen »Brücke« – vereinigte. Hugo von Tschudi, der schon todkranke Generaldirektor der Bayerischen Staatsgemäldesammlungen, hatte sich seinerzeit für die Ausstellungen der N.K.V.M. eingesetzt und nunmehr auch den beiden Redakteuren, die ihn wiederholt aufsuchten, seine Unterstützung zugesagt. Im Vorwort zum Katalog der Ausstellung des ungarischen Sammlers Marczell von Nemes in der Alten Pinakothek, der mit acht Gemälden von Greco dem deutschen Kunstpublikum zum erstenmal einen

Begriff von diesem Meister gab, hatte Tschudi einen neuen Typus des Museumsdirektors propagiert – und eben aus diesem Essay wollte Kandinsky einen Abschnitt übernehmen.[10] Emmy Worringer, die Schwester des Kunsthistorikers, war die Gründerin des sich der Pflege moderner Kunst widmenden Gereonclubs zu Köln; sie wird im Januar 1912 dort die vielverlachte »Erste Ausstellung der Redaktion ›Der Blaue Reiter‹« zum erstenmal außerhalb Münchens zeigen.

Inzwischen nimmt die redaktionelle Arbeit während des Herbstes in Murnau, Sindelsdorf und auch München ihren Fortgang. Schönberg trifft zu Besuch ein. David Burljuk, der im Katalog der N.K.V.M. des Vorjahres zu Wort gekommen war, wird um einen Beitrag ersucht, Le Fauconnier muß gemahnt werden, Kahnweiler schickt aus Paris Photographien von Bildern Picassos. Von Matisse wird die Genehmigung zur Reproduktion seiner Werke eingeholt und ein Aufsatz erbeten: Alles dürfe gern publiziert werden, was man wolle, aber zu schreiben sei er nicht in der Lage, »man muß Schriftsteller sein, um so was zu können«. Marc hat seinen Artikel »Zwei Bilder« zu Anfang September fertig, vier Wochen später liegt auch »Geistige Güter« vor. Zur selben Zeit arbeitet Kandinsky an seiner Einführung »Über Bühnenkomposition« und setzt sogar schon den Text zur Voranzeige auf. Die ersten Enttäuschungen bleiben nicht aus, Änderungen werden nötig. In die Begeisterung mischt sich gelegentlich leichter Zweifel. Nach einer Besprechung mit dem Verleger schreibt Kandinsky am 21. September:

> »Es ist mir etwas komisch zu Mute. So wie ... na ja! Wie vor einer anziehenden, riesig intereßanten Bergtour, wo man aber durch Kamine kriechen, auf Graten reiten muß.«[11]

In diesen Tagen muß auch der Begriff »Der Blaue Reiter« geprägt worden sein. Der seltsame Titel hat zu mancherlei Spekulationen über seine Entstehung Anlaß gegeben. Dabei hat sich Kandinsky

1930 selbst zu der Namensgebung geäußert, als ihn Paul Westheim um einen Bericht bat:

»Den Namen ›Der Blaue Reiter‹ erfanden wir am Kaffeetisch in der Gartenlaube in Sindelsdorf; beide liebten wir Blau, Marc – Pferde, ich – Reiter. So kam der Name von selbst. Und der märchenhafte Kaffee von Frau Maria Marc mundete uns noch besser.«[12]

Noch zwei Jahrzehnte später stand dem Künstler offenbar jener Nachmittag bei Marcs in allen Einzelheiten geradezu bildhaft vor Augen. Eben die Unmittelbarkeit des Berichts, der so unpathetisch wie möglich ist, spricht dafür, daß sich das »historische« Ereignis wirklich so unfeierlich und freundschaftlich zugetragen hat. Die Schilderung wird zudem durch die Dokumente bestätigt. Noch am 19. Juni 1911 schlug Kandinsky als Titel »Die Kette« vor. Im Briefwechsel der beiden Freunde begegnet der Begriff »Der Blaue Reiter« zum erstenmal Mitte September 1911.

Das provisorische Inhaltsverzeichnis der Publikation enthält – wie wir sehen werden – den Namen August Macke noch nicht. Erst durch einen vom 8. September datierten Brief Marcs erfuhr dieser von dem Vorhaben.[13] Er scheint jedoch selbst bereits seit längerem Gedanken geäußert zu haben, die ihn zu einem wertvollen Helfer werden ließen. Insbesondere über »vergleichende Kunstgeschichte« muß er sich früh eigene Vorstellungen gemacht haben, zudem war er der einzige, der aus seiner Tätigkeit am Düsseldorfer Schauspielhaus Bühnenerfahrung besaß. So ist es nicht verwunderlich, daß die Aufforderung zur Mitarbeit bei ihm auf fruchtbaren Boden fiel. Unter dem 25. des Monats schrieb er aus Bonn an Gabriele Münter:

»Es hat sich Wichtiges gesammelt, aber das Loslassen wird mir schwer werden. ›Die Rechtfertigung der Bauernkunst‹ oder ›Temperament in Töpferornamenten‹, ›Das Künstlerische bei den afrikanischen Geheimbündlern‹, ›Masken und Puppenspiele bei Griechen – Japanern – Siamesen‹, ›Mysterienspiele bei Heiden und Altchristen‹, ›Das lebendige und das tote Ornament‹, ›Die nackte Tatsache in der Kunst‹ etc. Von all diesem brodelt ein Durcheinander in meinem Kopfe. Wenn ich etwas Gescheites herausfische, schreibe ich es gerne auf. Im übrigen komme ich bald nach München, Sindelsdorf und Murnau.«[14]

Anfang Oktober traf Macke dann persönlich in Sindelsdorf ein und wurde von dem Rausch gepackt, der die Freunde ergriffen hatte. Er bat seine Frau, ebenfalls zu kommen, und schwärmte:»Die ganzen Tage sind wie Feste …« Marc durfte bald an Kandinsky melden: »August arbeitet an seinem Artikel.« In den gemeinsamen Gesprächen hatte sich aus jener Fülle von Themen, die in Macke brodelte, der poetische Aufsatz über »Die Masken« herauskristallisiert; Illustrationen von Werken aus dem Münchner Völkerkundemuseum sollten ihn auflockern.

Eine bedeutende Ausweitung erfuhr der Abbildungsteil, als Marc das reiche Schaffen des »Brücke«-Kreises kennenlernte, dessen Kunst damals – wie Kandinsky 1930 gestand – »in München vollkommen unbekannt war«. Der Künstler fuhr über Neujahr zu seinen Schwiegereltern nach Berlin und suchte hier Pechstein, Kirchner, Heckel, Mueller und Nolde auf. Ganz erfüllt von dieser Atmosphäre berichtete er fast täglich nach München; seine Worte wurden immer beredter, als Kandinsky Bedenken und Zweifel an jener Kunst zum Ausdruck brachte. Marcs eindringliche Urteile über diese Meister in seinen Briefen aus der Reichshauptstadt gehören zu den schönsten und überdies zu den frühesten Zeugnissen über die »Brücke« und werden Eingang in spätere Monographien finden. Wir müssen uns auf die Erörterung der Beziehungen dieser Gruppe zum »Blauen Reiter« beschränken. Marc war sofort von der »wirklich künstlerischen Luft« eingenommen, den »durchwegs sehr starken Sachen« und »einem ungeheuren quellenden Reichtum, der zu unsern Ideen nicht weniger gehört als die Idee der Stillen im Lande«; er fand »ein Riesenmaterial« für die geplante zweite Ausstellung des Blauen Reiters, »an der sie sehr gern und *ohne jede Prätention* mittun«.

Kandinskys Vorbehalte gegenüber der Graphik der »Brücke«, die uns heute als »einer der wesentlichsten Beiträge Deutschlands in der Entwicklungsgeschichte der modernen Kunst« (Peter Halm) gilt, schwanden jedoch nicht völlig, und der Maler schrieb am 2. Februar an Marc:

»*Ausstellen* muß man solche Sachen. Sie aber im Dokument unserer heutigen Kunst (und das soll unser Buch werden) zu verewigen, als einigermaßen entscheidende, dirigierende Kraft, – ist in meinen Augen nicht richtig. So wäre ich jedenfalls gegen *große* Reproduktionen ... Die kleine Reproduktion heißt: *auch* das wird gemacht. Die große: das wird gemacht.«[15]

Gelegentliche Meinungsverschiedenheiten und abweichende künstlerische Urteile waren bei zwei so starken Persönlichkeiten unvermeidbar, vermochten jedoch nie das gegenseitige Vertrauen zu erschüttern, wenn dieses auch durch die »seltsamen Überempfindlichkeiten der Münter« einmal auf eine harte Probe gestellt werden sollte.[16] Mit welch großer Begeisterung und welch großen Hoffnungen, aber auch mit welch unerwarteten Rückschlägen und welch notgedrungenen Kompromissen die Arbeit der Herausgeber geleistet wurde, das geht am besten aus den Änderungen hervor, die das Programm während der entscheidenden Monate erfuhr. Die zu verschiedenen Zeiten verfaßten Aufzeichnungen, Ankündigungen, Voranzeigen und Prospekte gewähren einen Einblick in die Schwierigkeiten des Unternehmens.

Einem Brief Franz Marcs an Reinhard Piper vom 10. September 1911 war ein »provisorisches Inhaltsverzeichnis der 1. Nummer« beigefügt (siehe Dokumente S. 309f.). Es ist klar gegliedert. Je einem Vorwort folgen vier Hauptabschnitte des Textteils: die Malerei mit sechs Einzelbeiträgen, die Musik mit acht, die Bühnenkunst mit drei und die über aktuelle Ereignisse berichtende Chronik mit zwei Aufsätzen. Der mittlere Hauptteil ist auffallend stark: Nach einer Einleitung von Kandinsky und dem Beitrag von Schönberg sollten fünf Autoren über die russischen Bewegungen und einer über die französische Musik schreiben. Von den Essays über Malerei wurden jedoch nur diejenigen Marcs, Burljuks und – mit veränderter Überschrift – Kandinskys zeitgerecht fertig. Ebenso wurden lediglich drei Aufsätze über Musik geliefert, zwei der Verfasser änderten dabei das Thema. Von den unter »Bühne« geplanten drei Aufsätzen erschien allein der von Kandinsky, und gar die »Chronik« fiel ganz aus. Große Unterschiede gegenüber der endgültigen Auswahl sind auch bei der Aufzählung der Reproduktionen zu bemerken. Die »Images d'Epinal«, Beispiele der französischen Bilderbogen, welche Girieud zur Verfügung stellen sollte, kamen nicht rechtzeitig heran. Von Abbildungen nach Arbeiten Max Oppenheimers ist später nie mehr die Rede. Auch Jawlensky und die Werefkin wurden von den bitter Enttäuschten gestrichen, als sie Kandinsky und Marc in der entscheidenden Sitzung der »Neuen Künstlervereinigung« im Stich gelassen und sich auf die Seite von Erbslöh und Kanoldt geschlagen hatten.

Die zeitlich als nächste anzusetzende Aufstellung ist in zwei voneinander leicht abweichenden Fassungen erhalten. Es ist die Verlagsanzeige des Almanachs im Traktat »Über das Geistige in der Kunst« nebst dem Manuskript dazu von der Hand Kandinskys, das später auch für die Beilage im Ausstellungskatalog benutzt wurde (siehe Dokumente S. 311 f.). Die Niederschrift läßt sich wohl auf Anfang Oktober 1911 datieren, scheint aber nochmals umredigiert worden zu sein, denn der untere Teil ist offensichtlich später angeklebt. Programmatisch werden als Mitarbeiter Maler, Musiker, Dichter und Bildhauer (!) genannt. Die neun »aus dem Inhalt des ersten Bandes« angeführten Beiträge zeigen ein dem provisorischen Verzeichnis gegenüber stark verändertes Gesamtbild. An die Stelle der ausgeschiedenen Autoren sind August Macke und Roger Allard getreten, Marc hat einen weiteren Essay angekündigt. In der gedruckten Fassung, die mit der ersten Auflage des »Geistigen« Weihnachten 1911 vorlag, ist Pechstein – noch oder wieder – vertreten, dazu die russische Musikwissenschaftlerin N. Brüssow (= Nadeschda Brjussowa). Kandinskys Thema lautet noch immer »Construktion«, auch Schönbergs Artikel trägt noch nicht die endgültige Überschrift, hat sich jedoch in »Die Stilfrage« verändert. Besonders auffallend ist die starke Vermehrung des Bildteils, der etwa hundert Nummern umfassen soll. Neben die Volkskunst sind nun die Kunst der Primitiven, die Kunst der Antike sowie die Kinderkunst gerückt. Auch die Gegenwart stellt sich jetzt weitaus repräsentativer vor: Van Gogh († 1890), Gauguin († 1903) und Cézanne († 1906) werden ohne Bedenken zum eigenen »XX. Jahrhundert« gezählt, Matisse ist bei den Jüngeren hinzugekommen. Die spätere handschriftliche Fassung des Verzeichnisses der Abbildungen enthält die Namen Jawlensky und Werefkin nicht mehr, wird also kaum vor dem 2. Dezember verfaßt worden sein; doch war der Traktat schon ausgedruckt – und so blieben diese Namen in der Anzeige stehen. Endlich werden zum erstenmal Musikbeispiele erwähnt: Lieder der beiden Schönberg-Schüler Alban Berg und Anton von Webern.

Die wichtigste Ankündigung des Buches bedeutete der vier Seiten starke Prospekt für die Subskription. Er erschien im Februar des nächsten Jahres. Den Text schrieb Marc im Januar während seines Berlinbesuchs. Er umriß darin die Absicht der Herausgeber: »Das hiermit angekündigte erste Buch, dem andere in zwangloser Reihe folgen sollen, umfaßt die neueste malerische Bewegung in Frankreich, Deutschland und Rußland und zeigt ihre feinen Verbindungsfäden mit der Gotik und den Primitiven, mit Afrika und dem großen Orient, mit der so ausdrucksstarken ursprünglichen Volkskunst und Kinderkunst, besonders mit der modernsten musikalischen Bewegung in Europa und den neuen Bühnenideen unserer Zeit.« (siehe Dokumente S. 318) Im Inhaltsverzeichnis ist Pechsteins Artikel endgültig fortgelassen worden, neu aufgenommen sind aber die Beiträge von Erwin von Busse über Delaunay und von Leonid Sabanejew über Skrjabin. Schönberg hat sein Thema präzisiert und auch eigene Noten in Aussicht gestellt. Kandinskys Hauptartikel trägt bereits den richtigen Titel. Bei dem um zwanzig Nummern vermehrten Abbildungsteil ist der Name Henri Rousseau, die große Neuentdeckung der Vorweihnachtszeit, eingefügt.[17]

Eine kleinformatige, mit dem Gemälde von Rousseau geschmückte Ankündigung dürfte Anfang März gedruckt worden sein und hat vermutlich den Katalogen der am 12. des Monats eröffneten Ausstellung des »Blauen Reiters« im Berliner STURM beigelegen (siehe Dokumente S. 322). Die Anzahl der Abbildungen ist abermals um zwanzig Nummern auf »etwa 140« angewachsen. Die Anzahl der Reproduktionen entspricht bereits derjenigen des Verzeichnisses im Buch. Kandinsky und Marc hatten jeder noch einen weiteren Artikel geschrieben, der Russe Nikolai Kulbin dazu einen neuen über »Die freie Musik« eingesandt. Erst im letzten Augenblick – anläßlich einer Besprechung Kandinskys im Verlag am 5. April – verzichtete man auf den Artikel der Brjussowa, um den Umfang nicht noch mehr anschwellen zu lassen.

So blieb es schließlich bei vierzehn größeren Textbeiträgen, die durch kürzere Notizen und Zitate aufgelockert wurden. Mitte Mai erschien der längst erwartete Band und wurde von den Herausgebern mit Freude, freilich nicht ohne einige Zeichen des Unmutes begrüßt. Beide empfingen die Freiexemplare am selben Tag und schrieben sofort einander einen Brief, worin sich jeweils das persönliche Temperament spiegelt:

»Lieber Marc, was sagen Sie zu Piper? Nichts hat er verbessert!! Tschudi steht auf der Rückseite, Spiegelbild abgeschnitten usw.

usw. Es sind natürlich Kleinigkeiten, aber doch ist es sehr schade (am meisten um Tschudi) und empörend. Werden Sie vielleicht einen energischen Schimpfbrief loslaßen?«[18]

»Lieber Kandinsky, heute kam aus Augsburg die ersehnte Sendung der 10 Freiexemplare des bl. Reiters, allerdings *ohne* die Änderung der letzthin besprochenen Punkte (Tschudiwidmung, egyptisches Blatt etc.). Ist Piper auf Änderungen nicht mehr eingegangen oder hat er sie eigenmächtig unterschlagen? Nachdem man vor dem fait accompli steht, gewöhnt man sich dran, man muß es wenigstens. Der Eindruck des Buches ist doch ein fabelhafter. Ich hatte ein solches Glücksgefühl, es endlich fertig vor mir zu sehen. Eines bin ich auch sicher: Viele Stille im Lande und junge Kräfte werden uns heimlich Dank wissen, sich an dem Buch begeistern und die Welt nach ihm prüfen . . .«[19]

Reinhard Piper und die Drucklegung des Buches – Der Mäzen Bernhard Koehler

»Piper muß Verlag besorgen«, so hatte Kandinsky schon in jenem Brief geschrieben, der den Plan des Almanachs zum erstenmal entwickelt. Es war offenbar selbstverständlich, daß kein anderer Verleger in Betracht gezogen wurde. In der Tat: Wer die Geschichte des »Blauen Reiters« zu schreiben unternimmt, sollte auch der Persönlichkeit und dem Wirken Reinhard Pipers seine Aufmerksamkeit zuwenden. Er wird nicht nur die Erklärung dafür finden, daß der Band gerade in diesem Verlag erschien, sondern unversehens zugleich eine verdichtete Einführung in das kulturelle und besonders in das künstlerische Milieu erhalten, aus dem der »Blaue Reiter« erwuchs. Denn der Piper Verlag, so hat es Ernst Penzoldt formuliert, ist »wesentlich beteiligt an der unblutigen Revolution der

Kunst, die aus der wilhelminischen Epoche zur Modernen führte«[20]. Mögen die beiden ungeduldigen Künstlerfreunde während der Tätigkeit als Herausgeber – wie aus ihrem Briefwechsel ersichtlich ist – mitunter dem Unmut über die geschäftlichen Gesichtspunkte des Verlegers in drastischen Worten Luft gemacht haben (und welcher Autor täte das zuweilen nicht!), auf der anderen Seite heißt es etwa in einem Brief Kandinskys an Marc vom 18. September 1911: »Und Piper ist doch die feinste Firma und dazu eine Münchener.«[21] Reinhard Piper hat das historische Verdienst, dem »Blauen Reiter« überhaupt die Möglichkeit der Verwirklichung gegeben zu haben. Vornehmlich durch diesen Band zog sich der Verlag das Odium des Revolutionären zu. In einer Karikatur der Münchner Verlegergruppe wurde Piper mit dem Almanach in der Hand als charakteristischem Attribut dargestellt (siehe Abbildung S. 271). Er berichtet diese Episode in seinen Erinnerungen, die einen Überblick über das Schaffen des Verlegers und auch über die persönlichen Beziehungen zu Marc und Kandinsky geben. Wir erleben die schicksalhafte Begegnung nach: »Es war fast selbstverständlich, daß Marc mir dieses Buch antrug.«[22]

Reinhard Piper hat höchst anschaulich geschildert, wie er Marc kennenlernte. Es war zu Anfang des Jahres 1909:

»Während ich an dem Buche [Das Tier in der Kunst] schrieb, veranstaltete der bis dahin unbekannte Franz Marc bei Brackl in der Goethestraße seine erste Ausstellung. Da waren vor allem viele Tierbilder zu sehn, überwiegend impressionistischer Art. Sie kosteten durchschnittlich zweihundert bis dreihundert Mark. Ich kaufte mir die farbige Lithographie mit zwei Pferden. Die Verkäufe waren so gering, daß auch der kleinste dem Künstler auffallen mußte. Er besuchte mich daraufhin im Verlag, schlank und schwarzhaarig. Er kam noch gerade recht, daß ich auf der vorletzten Seite meines Buchs eine seiner Plastiken, eine Pferdegruppe in Bronze, abbilden konnte.«[23]

Münchner Verleger, gesehen von einem zeitgenössischen Karikaturisten: Georg Müller (1. v. l.), Rudolf Oldenbourg (4. v. l.), Georg Hirth (4. v. r.) und Reinhard Piper mit dem Band »Der Blaue Reiter« (2. v. r.) (aus: »Zeit im Bild« 11, 1913)

Aus diesem ersten Zusammentreffen wurde ein reger Verkehr: »Meine Verlagsarbeit begleitete er mit Teilnahme. Für den Umschlag meines ›Tiers in der Kunst‹ zeichnete er Delacroix' Aquarell des vom Blitz erschreckten Pferdes in kräftiges Schwarz-Weiß um, ebenso für die kleine Cézanne-Monographie Meier-Graefes dessen ›Frauen vor dem Zelt‹.«²⁴

Die eigene publizistische Tätigkeit Marcs im Piper Verlag entzündete sich an der Kunstpolitik und war bereits ein Auftakt zum »Blauen Reiter«:

»Damals erschien bei Eugen Diederichs die Schrift des Worpsweder Malers Carl Vinnen, die gegen den Ankauf eines van Gogh durch die Bremer Kunsthalle protestierte, dann sich aber gegen die angebliche Überschätzung der französischen Malerei und gegen die Tätigkeit der fortschrittlichen Galerieleiter überhaupt richtete. Vinnen hatte eine Menge Maler auf die Beine gebracht, die sich durch diese Überschätzung geschädigt glaubten ... Hugo von Tschudi, der kühne Umgestalter der Nationalgalerie, war aus Berlin verdrängt worden und hatte seine Tätigkeit an den Münchner Pinakotheken eben erst aufgenommen. Auch gegen ihn richtete sich der Angriff, ebenso gegen das Wirken Meier-Graefes. Eine Zurückweisung war unabweislich. Marc war zugleich mit anderen sehr bemüht, Beiträge wirklich Maßgebender zusammenzubringen. Daraus ergab sich die Schrift: ›Deutsche und französische Kunst‹. Sie ging in ihrer Bedeutung weit über den Anlaß hinaus und ist ein wichtiges Dokument zur Zeitgeschichte geblieben.«[25]

Neben hervorragenden Museumsdirektoren und Sammlern sind fast alle deutschen Künstler von Rang vertreten, und neben Worringer begegnet man den beiden Schöpfern des »Blauen Reiters«. Auch Kandinsky war für Reinhard Piper bereits seit längerem kein Unbekannter mehr. Er hatte »Märchenbilder in Farbholzschnitt« schon für Pipers ehemalige »Vertriebsstelle für Graphik« geliefert. Freilich: Der neueren großartigen Entwicklung des Künstlers stand

Blick in die Räume der ersten Münchener Ausstellung

der Verleger innerlich fremd gegenüber; und noch in den kurzen Sätzen der nach dem Zweiten Weltkrieg niedergeschriebenen Erinnerungen spürt man, daß er zu den Werten dieser revolutionären Kunst keinen Zugang gefunden hat.

Nunmehr aber – im Herbst 1911 – beförderte Piper auf die Fürsprache Marcs hin Kandinskys Manuskript »Über das Geistige in der Kunst«, das nach des Verfassers eigenen Worten »fast volle zwei Jahre vergeblich nach einem Verleger gesucht« hatte, zum Druck und brachte es so schnell heraus, daß der Traktat zur Eröffnung der »Ersten Ausstellung der Redaktion ›Der Blaue Reiter‹« aufgelegt werden konnte. Die Arbeit der beiden Herausgeber unterstützte er nach Kräften. Aus seiner eigenen Sammlung steuerte er Originalvorlagen altdeutscher Graphik und Photographien nach etruskischer und romanischer Plastik bei. Klischees, die für Worringers in der Herstellung begriffene »Altdeutsche Buchillustration« bestimmt waren, lieh er aus, und Kandinsky schrieb an Marc, daß er diese »gerne zum Schmuck meiner Bühnencomposition brauchen möchte«[26]. Piper war es auch, der die Abbildungen durch Aufnahmen nach Gauguin, van Gogh und Matisse zu bereichern riet.

»Eine Art Almanach« hatte Kandinsky herauszugeben geplant; und das Wort Almanach wurde zunächt sehr oft von den Freunden gebraucht. Noch der als endgültig ausgewählte Entwurf des Titelblatts trägt es, und selbst der Holzstock – das hat man bisher nicht gewußt – enthielt es ursprünglich. Im Druck aber fehlt diese Bezeichnung. Reinhard Piper hatte sich sehr energisch dagegen gewandt. In einer Besprechung am 21. September 1911 ließ sich Kandinsky von ihm überzeugen und schnitt daraufhin das Wort »Almanach« vom Holzstock herunter.

Aber auch in schwerer wiegenden Fragen sah sich Reinhard Piper genötigt, den Enthusiasmus der beiden Freunde zu dämpfen. Die Zusammenarbeit muß nicht immer leicht gewesen sein, da die »Blauen Reiter« als Künstler dazu neigten, ihren Pferden unbekümmert die Zügel schießen zu lassen. Einen Einblick gewährt uns der Brief des Verlegers an Franz Marc vom 9. Dezember 1912, der die erste Abrechnung begleitete. Da sich ein weit höherer Kostenbetrag ergab als erwartet, erinnert Piper an die Umstände:

>»Bei der Herstellung des Buches haben Sie mit Herrn Kandinsky aber völlig unabhängig von uns verfahren, bei der Annahme der Aufsätze und bei Bemessung der Anzahl, sowie der Größe der Klischees uns niemals um Rat gefragt, sondern einfach Druckauftrag, resp. Klischierauftrag gegeben. Auch den Ladenpreis von M. 10.-- haben Sie festgesetzt ohne Rücksicht auf die Herstellungskosten. Sie gingen ja von der an sich ganz richtigen Voraussetzung aus, daß eine Propagandaschrift nicht all zu teuer sein darf ... Sie dürfen sich nun nicht wundern, wenn die Kosten des Buches zu den Eingängen trotz des ziemlich lebhaften Absatzes in einem Missverhältnis stehen ... Sie haben aber auf die Kalkulation keinerlei Rücksicht genommen und wir hatten unsererseits auf Ihre redaktionellen Maassnahmen keinen Einfluss.«[27]

Diese auch dem Verleger gegenüber »diktatorische« Arbeitsweise der Herausgeber war freilich nicht ganz so unverständlich, wie es den Anschein haben könnte. Denn da ein buchhändlerischer Erfolg mehr als fraglich war, schloß Piper im Interesse seines jungen Unternehmens mit den beiden Malern nur eine Art von Kommissionsvertrag ab, der ihn vor Einbußen sicherte. Er sah sich vor allem genötigt, eine Garantiesumme in Höhe der bei einer ersten Kalkulation geschätzten Herstellungskosten zu verlangen. Der Verleger war bereit, den Namen seines Unternehmens zu leihen und damit das moralische Risiko zu tragen; das finanzielle Risiko zu tragen mußte er den Herausgebern überlassen. Diese gingen also auf die Suche nach Garantiezeichnern. Ihr Briefwechsel spiegelt die Bemühungen in allen Einzelheiten wider.

Der Vertrag vom 28. September 1911 enthält in § 2 den Satz: »Die Herren Franz Marc und W. Kandinsky haften gesamtverbindlich für die Deckung der Kosten. « Dagegen verpflichtete sich der Verleger in einem gleichzeitigen Zusatz, daß »an die Herausgeber die Hälfte des Ladenpreises jedes abgesetzten Exemplars abgeführt werden« sollte. Damals leisteten die beiden Freunde ihre Unterschriften im Vertrauen allein auf die Überzeugungskraft ihrer Idee, denn eine reale Möglichkeit der Deckung wußten sie nicht; aber die nächsten Wochen waren angefüllt von Überlegungen. Ihre größte Hoffnung setzten sie dabei wiederum auf die Fürsprache Hugo von Tschudis. Aber dieser war neuerlich schwer erkrankt. Am 6. November berichtete Marc von einem traurigen Besuch bei ihm und schlug Kandinsky kurzerhand vor:

>Ich bin im Stillen sehr der Meinung, wir sollten die Courage fassen, den bl. R. selbst in den Sattel zu setzen, wenn wir nicht bald Garantiezeichner finden. Ohne Tschudi werden sie nicht so leicht zu haben sein ... Leute wie Köhler gehe ich lieber später, wenn die Sache schief geht, an als jetzt. Am ehesten denke ich an Flechtheim und Osthaus; den Münchnern traue ich nicht, ohne direkte Verwendung von Tschudi.«[28]

Aber kurz vor Weihnachten konnte man dem Verlag doch mitteilen, »daß die im Vertrag geforderten Garantien für die Ausgabe des ›Blauen Reiters‹ in einer Höhe von M. 3000.– gedeckt sind ...«[29]

Es war schließlich Bernhard Koehler, der sich bereit erklärte, die gesamten Unkosten zu übernehmen. Von einem Besuch bei ihm in Berlin schrieb Marc überglücklich am 23. Dezember 1912:

»... ich kann meine Freude nicht verbergen, daß wenigstens dieser eine Mensch sich in ganz seltener Weise von allen andern unterscheidet, mit denen ich im Leben finanziell und mehr oder minder geschäftlich zu thun hatte.«[30]

Wo immer der Name »Der Blaue Reiter« fällt, hat die Nachwelt Anlaß, Bernhard Koehlers zu gedenken.[31] Der reiche Berliner Fabrikant war der Onkel von August Mackes Frau Elisabeth. Schon vor dessen Heirat hatte er den jungen Künstler unterstützt und diesem im Jahre 1907 einen Studienaufenthalt in Paris ermöglicht. Koehler stand damals bereits im sechsten Jahrzehnt seines Lebens (der Sohn, ebenfalls Bernhard genannt, war etwa im Alter von Marc und Macke und mit den beiden befreundet). »Onkel Bernhard« sammelte zunächst ohne Plan: Dosen, Porzellane, Stickereien, dazu Bilder im Jugendstil aus dem Kreis der Münchner »Scholle«. »Viel Schönes, aber auch viel Unschönes«, so urteilte Macke. Der junge Maler sah es als eine wundervolle Aufgabe an, in dem alten Herrn das Verständnis für die moderne Kunst zu wecken. Während eines gemeinsamen Besuchs 1908 in Paris erwarb Koehler Gemälde der in Deutschland durchaus noch nicht allgemein anerkannten französischen Meister Courbet, Manet, Monet, Pissarro und Seurat. Seither erweiterte er die Sammlung stetig. Im Januar 1910 hatte er Marcs Bekanntschaft gemacht und diesen zunächst durch einzelne Ankäufe, seit der Mitte des Jahres durch eine monatliche Summe von zweihundert Mark unterstützt; er sollte so nach und nach den bedeutendsten Bestand von Werken des Malers zusammentragen. Erwerbungen von Arbeiten anderer Künstler dieses Kreises folgten: So kaufte er schon am Eröffnungstag der »Ersten Ausstellung« der Redaktion, die er und sein Sohn eigenhändig hatten hängen helfen, Bilder von Kandinsky, Münter, Campendonk und Delaunay. Sechs Werke aus seiner Sammlung sind im Almanach abgebildet und vermitteln einen Überblick über das weitgespannte Interesse, aber auch die Sicherheit der künstlerischen Wahl: Eine gotische Holzskulptur aus den Rheinlanden und ein altspanischer »Marientod« vertreten die alte Kunst, ein »Halbakt« von Girieud und ein Stillleben von Cézanne die neue französische Malerei. Dem erst zu Anfang 1911 auf die Vermittlung von Macke erworbenen »Johannes« von Greco ist als kühner Gegenklang die bei Thannhauser ausgestellte »Tour d'Eiffel« von Delaunay gegenübergestellt. Auch Marcs »Stier«, an dem Kandinsky »das starke abstrakte Klingen der körperlichen Form« exemplifizierte, ging später in Koehlers Besitz über.

Als der Almanach Mitte Mai 1912 ausgeliefert wurde, sandte Marc das erste Exemplar an Bernhard Koehler. Und noch viele Jahre später gedachte Kandinsky dankbar dieses großzügigen Mäzens:

>»Ohne seine hilfreiche Hand wäre der ›Blaue Reiter‹ eine schöne Utopie geblieben. «

Die Pläne für den zweiten Band und weitere Vorhaben

Kandinsky dachte – so sahen wir – an ein »Jahrbuch«, und im Vertrag mit dem Verlag ist die Rede von einer »periodisch erscheinenden Publikation«; auch im Schriftwechsel der Freunde heißt es im Hinblick auf die derzeitige Veröffentlichung stets »Erstes Heft« oder »Erstes Buch«. Schon bald aber war den beiden klar, daß die alljährliche Herausgabe eines neuen Bandes die vereinten Kräfte übersteigen würde. So wird denn in der Voranzeige nur mehr von einem »in zwangloser Folge erscheinenden Organ« gesprochen. Dabei waren auch die negativen Erfahrungen maßgebend, die man aus der – durch die kunstpolitische Situation hervorgerufenen – Überstürzung gewonnen hatte. Unter dem 14. Mai 1912 schrieb Kandinsky:

>»Das zweite Buch: mein Wunsch wäre, daß wir damit gar nicht eilen, ruhig an uns das Material kommen lassen (d. h. auch ruhig sammeln und viel strenger wie das erste Mal). Dazu mein *egoistischer* Wunsch: eine Zeit lang (jedenfalls den Sommer) ganz zum Reifen meiner weiteren Gedanken zu behalten. Ich bin sehr aus dem Geleise. «[32]

Doch liefen die Vorbereitungen zu einem weiteren Band schon früh neben den redaktionellen Arbeiten für den vorliegenden Almanach einher. Und wir können aus den Quellen durchaus eine Vorstellung von den Plänen gewinnen. Zu einem Teil ergab sich der Stoff für das zweite Buch aus demjenigen Material, das zu spät geliefert worden war oder im ersten nicht mehr untergebracht werden konnte.[33] Zum anderen wollte man die schon behandelten Themenkreise fortführen. So bat Kandinsky den über Neujahr 1912 in Berlin weilenden Freund, sich im dortigen Völkerkundemuseum umzusehen »für eventuell späteren Gebrauch«. Marc ging in der Reichshauptstadt auch auf eigene Entdeckungen aus. Bei einem Händler fand er »eine riesige Sammlung von Tafelmalereien vom Athos«; da er diese Klöster von einer Reise mit seinem Bruder Paul, dem Byzantinisten, im Jahre 1906 kannte, interessierte ihn der Fund besonders: »... für den bl. Reiter reproduzire ich was davon, ich denke Fragmente für den 2. Band.«[34] Auf der Rückfahrt von Berlin suchte Marc den Ägyptologen Professor Paul Kahle in Halle auf und bat ihn, zur Ergänzung der im ersten Buch veröffentlichten Schattenspielfiguren einen eigenen Aufsatz beizusteuern. Und im Februar 1912 fiel dann der Name desjenigen Wissenschaftlers, dessen Gedanken denen der »Blauen Reiter« am weitesten entgegenkamen:

> »Ich lese eben« – schrieb Marc an Kandinsky – »Worringers ›Abstraktion und Einfühlung‹; ein feiner Kopf, den wir *sehr* brauchen können. Ein fabelhaft geschultes Denken, straff und kühl; sehr kühl sogar.«[35]

Die Hinzuziehung von Autoren wie Einstein, Kahle und Worringer bedeutete zugleich aber den größten Schritt über das bisher verfolgte Programm hinaus: gemäß der – übrigens sehr anfechtbaren – Maxime Delacroix', nur Künstler zu Wort kommen zu lassen. Kandinsky hat später wiederholt diese neue Haltung begründet. 1935 schrieb er:

> »Wir wollten im zweiten Band des ›B. R.‹ Gelehrte als Mitarbeiter heranziehen, um die frühere Kunstbasis immer zu erweitern

und deutlich zu zeigen, auf welche verwandte Weise der Künstler und der Wissenschaftler arbeiten und wie nahe nebeneinander die beiden geistigen Gebiete liegen.«

Selbst August Macke war damals noch lebhaft an den weiteren Publikationsplänen interessiert. Sein im Nachlaß Franz Marcs aufgefundener Brief an Kandinsky vom 30. Juli 1912 spricht von einer höchst bedeutsamen Begegnung mit Theodor Däubler, dem Patriarchen des Expressionismus. Er nennt den Dichter:

»... einen ganz hervorragenden Menschen. Er wird Sie sicher in München einmal aufsuchen. Er ist dreimal so groß und so dick wie ich ... Es sprudelt in seinen Gedichten wie in Ihren Bildern. Ich habe ihn gefragt, ob er unter Umständen an einem zweiten Bande des blauen Reiters seine literarische Mitarbeit zusagte. Er ist mit Freuden dabei, da er den blauen Reiter außerordentlich schätzt.«

Auch um die Mitte des Jahres 1913 stand die Fortsetzung des Unternehmens noch außer Zweifel. Eine Mitteilung Kandinskys vom 5. Juni wirft auf den Stand der Vorbereitungen ein interessantes Licht:

»Ich glaube, daß wir kaum schon in der nächsten Wintersaison mit dem 2. Band ausrücken werden. Wo soll man das Material finden, vor allem gute Artikel? Bis jetzt bekam ich Angebote von Busse, Reuber (Berlin), Larionoff. Ich habe alle um Einsendung gebeten, versprach aber nichts. Wolfskehl würde gerne etwas schreiben und da kann man doch sicher sein, daß es nicht schlecht wird. Ich habe außerdem zwei Rußen in Aussicht. Beide können, glaube ich, etwas Gutes schreiben. Ob sie es aber machen und wann, das ist eine andere Sache! Und Bildmaterial? Ich habe bis jetzt nur eine Idee, die ich Sie bitte vorläufig vollkommen im Geheimen zu halten – mit Ausnahme Ihrer Frau natürlich. Das sind alte Geschäftsschilder und Reklamebilder, zu welchen ich die Budenmalereien rechne (z. B. Oktober-Wiese). Ich möchte versuchen, hier an die Grenze des Kitsches zu gehen (oder wie viele meinen werden, *über* diese Grenze.) Im Zusammenhang damit Naturaufnahmen, besonders einzelne Gegenstände und Teile der Gegenstände. Usw.«[36]

Wiederum fällt dabei der starke Anteil auf, der den Russen zugedacht war. Daß – wie man neuerdings behauptet hat – sich Larionoff und die Gontscharowa bereits 1912 von der »Münchner Dekadenz« losgesagt hätten[37], ließe sich schon mit dem Hinweis auf die Teilnahme beider an Waldens Erstem Herbstsalon im Folgejahr entkräften. Durch Kandinskys Brief wird endgültig klargestellt: Noch um die Mitte 1913 bot sich Larionoff selbst zur weiteren Mitarbeit am »Blauen Reiter« an; wir dürfen vermuten, daß er im geplanten zweiten Band über den soeben mittels eines eigenen Manifestes propagierten »Rayonnismus« geschrieben haben würde. Noch weitere Perspektiven eröffnet aber die Nennung von Karl Wolfskehl (1869–1948). Es ist hier nicht der Ort, der umfassenden Bedeutung dieses Mannes und der Schwabinger »Runde der Kosmiker« für die kulturelle Atmosphäre Münchens nachzugehen. Wolfskehl war sowohl mit Kandinsky als auch mit Marc befreundet. Seine Mitarbeit an dem von Friedrich Gundolf und Friedrich Wolters herausgegebenen »Jahrbuch für die geistige Bewegung« hatte ihn den »Blauen Reitern« längst empfohlen, begegneten sich deren Gedanken doch in überraschender Weise mit denen jenes Kreises. Endlich wäre die von Kandinsky angekündigte Erörterung des Kitsches, die so originell an den Firmen- und Budenschildern erfolgen sollte, sicher von höchster Wichtigkeit geworden; hat sich doch auch hier das Gespür für ein der Zukunft gehörendes Problem unmißverständlich erwiesen.

In der Zwischenzeit wurde ein neues Vorhaben verfolgt. Ich habe an anderer Stelle ausführlich über den auf das Frühjahr 1913 zurückgehenden Plan zu einer Illustrierung der Bibel berichtet, die gemeinsam von Marc, Kandinsky, Kubin, Klee, Heckel und Kokoschka unternommen werden sollte. In unserem Zusammenhang ist vor allem die Ankündigung von Interesse, die neue Publikation würde als »Blaue-Reiter-Ausgabe« herausgegeben werden. Sie bestätigt einmal mehr, daß es keine feste Vereinigung oder Gruppe dieses Namens gab, sondern daß Kandinsky und Marc als »Redaktion« die Mitarbeiter jeweils »frei wählten«. Die Bilderbibel blieb infolge des Krieges ein Torso, doch läßt sich eine beachtliche Reihe von Arbeiten dieser gemeinschaftlichen Unternehmung zuordnen.[38]

Im Jahre 1913 wurde auch klar, daß bald eine zweite Auflage notwendig werden würde. Die erste war zwar auf eintausendzweihundert Exemplare erhöht worden, da sich schon auf den Subskriptionsprospekt hin ein unerwartet großes Interesse gezeigt hatte. Doch auch diese Zahl war ja nicht hoch. Vorsorglich hatte der Verleger den Satz stehen lassen, so daß sich Änderungen von selbst verboten. Vorn wurde allerdings ein halber Bogen zugegeben. Dies geschah einmal der beiden Vorworte wegen, die Kandinsky und Marc neu schrieben (siehe Dokumente S. 323–326). Vor allem aber konnte nun die Widmung an Tschudi würdig auf eine rechte Seite gesetzt werden; wie erinnerlich, waren die Herausgeber über die unbefriedigende Lösung, sie auf die Rückseite des Vorsatzblattes zu verbannen, besonders ärgerlich gewesen. Überdies wurde ein neues Klischee für das Selbstbildnis von Rousseau angefertigt, und Marc ersetzte die Farbtafel der »Zwei Pferde« durch eine andere. Die Vorworte sind auf den März 1914 zu datieren, die Auslieferung des Bandes wird somit im Frühsommer erfolgt sein.

Die Vorbereitungen für einen weiteren Band des Almanachs waren gleichwohl vorangetrieben worden. Um die Wende 1913/14 dachten die beiden Freunde vorübergehend daran, abwechselnd je ein Buch zu betreuen, damit der andere mehr Zeit für die eigene künstlerische Arbeit gewinnen sollte. Marc verfaßte voller Ungeduld schon das Vorwort zum nächsten Band (siehe Dokumente

S. 326f.). Kandinsky lernte den serbischen Schriftsteller Dimitrije Mitrinović kennen und schrieb an den Gefährten: »Er kann dem B. R. *sehr* nützlich sein« (17. Februar 1914)[39]. Sogar in dem »März 1914« datierten Vorwort zur Neuauflage betonte Kandinsky noch die »Notwendigkeit der weiteren Entwicklung der Ideen dieses Buches« (siehe Dokumente S. 324). Doch bald verstärkte sich seine Befürchtung, »daß die Zeit für den B. R. noch nicht reif« wäre; er schlug erneut vor, mit dem zweiten Buch zu warten. Sich vordringlich seiner künstlerischen Tätigkeit verpflichtet wissend, mußte er bekennen, daß er sogar nachts aufwache und an nichts als den »Blauen Reiter« denke (10. März 1914)[40]. Die Kämpfernatur Marcs aber fühlte sich dessen ungeachtet aufgerufen und zum Sprechen gezwungen:

> »Mir selbst ist allerdings bis heute die Lust oder besser gesagt der Drang, meine gegenwärtige Arbeitslust durch eine schriftliche Herausgabe zu steigern und zu klären, nicht vergangen; vielleicht versuche ich etwas auf eigene Faust. Ich habe das bestimmte Gefühl, daß gerade *heute von uns* etwas *gesagt werden* müßte, gerade *weil* das Material fehlt. Wenn es einmal nicht mehr fehlen wird, werden andere und mit Recht das Material zeigen ...« (13. März 1914)[41].

Ein neuer Herold erstand der Münchner Bewegung in Hugo Ball, dem Dramaturgen an den Kammerspielen. Dieser verehrte – wie aus seinen Tagebüchern ersichtlich – Kandinsky als einen »Propheten der Wiedergeburt«. Gerade in jenen Märztagen des Jahres 1914 formten sich seine revolutionären Gedanken über das »Expressionistische Theater«. Wenig später schreibt Ball freudig seiner Schwester:

> »Was diese neue Idee betrifft, so plane ich zusammen mit Kandinsky, Marc, Thomas von Hartmann, Fokin, von Bechtejeff für den ersten Oktober ein Buch ›Das neue Theater‹, in dem wir gemeinsam die Ideen, die wir ins Künstlertheater bringen wol-

len, mit neuen Szenenbildern, Musikbeispielen, Figurinen etc. entwickeln. Am Kochelsee draußen wollten wir uns eigentlich im Juni treffen, um die Sache zu konstituieren. Auch neue Architekturpläne sollen festgesetzt werden. Ein neues Theater von Grund auf. Ein neues Festspielhaus … Wenn es glückt, die Broschüre bis 1. Oktober herauszubringen (Verlag Piper, München), dann soll eine ›Internationale Gesellschaft für neue Kunst‹, nicht nur Theater, sondern auch Neue Malerei, Neue Musik, Neuer Tanz [gegründet werden]« (27. Mai 1914).

In den Tagebüchern hat Ball jene gemeinschaftlichen Pläne nochmals erwähnt und dabei schon einen Abriß des Inhalts gegeben:

»Das expressionistische Theater, so lautete meine These, ist eine Festspielidee und enthält eine neue Auffassung des Gesamtkunstwerks … Kandinsky stellte mir Thomas v. Hartmann vor. Der kam von Moskau und erzählte viel Neues von Stanislawsky: wie man dort unter dem Einfluß indischer Studien Andrejew und Tschechow spielte. Das war anders, breiter, tiefer als bei uns, auch neuer, und trug sehr viel dazu bei, meinen Gesichtskreis und meine Forderungen an ein modernes Theater zu erweitern.

Theoretisch sollte das Künstlertheater etwa folgendermaßen aussehen:

Kandinsky	Gesamtkunstwerk
Marc	Szenen zu ›Sturm‹
Fokin	Über Ballett
Hartmann	Anarchie der Musik
Paul Klee	Entwürfe zu ›Bacchantinnen‹
Kokoschka	Szenen und Dramen
Ball	Expressionismus und Bühne
Jewrenow	Über das Psychologische
Mendelsohn	Bühnenarchitektur
Kubin	Entwürfe zu ›Floh im Panzerhaus‹

Carl Einsteins ›Dilettanten des Wunders‹ bezeichneten die Richtung.«[42]

Es bedarf nicht vieler Erläuterungen, um zu zeigen, daß die hier von Hugo Ball umrissenen Gedanken mit denen des »Blauen Reiters« nahezu identisch waren. Gleichgestimmte Geister hatten sich gefunden. Überrascht müssen wir feststellen, daß uns die überwiegende Mehrzahl der von Ball genannten Mitarbeiter bereits aus dem Almanach bekannt ist und daß dessen Herausgeber an erster und zweiter Stelle genannt werden. Hartmann, Klee und Kokoschka gehörten zum engsten Freundeskreis Kandinskys und Marcs, auch zu Fokin waren die Fäden längst geknüpft. Die Nennung Einsteins, dessen Mitwirkung schon für den zweiten Band des Almanachs vorgesehen war, unterstreicht diese Beziehungen. Mit dem Hinzutreten des Architekten Mendelsohn war die frühere Basis geradezu zwangsläufig durch die Baukunst erweitert worden. Selbst der Verlag sollte für die Publikation beibehalten werden.

Kandinsky hat später nur dem Krieg schuld gegeben, daß die gemeinschaftliche Arbeit nicht fortgeführt werden konnte. Das besagt seine Niederschrift von 1935. Aber schon als der Verleger in den zwanziger Jahren eine neue Auflage vorschlug, da hat er – wie seine Frau berichtet – mehrmals betont: »Der Blaue Reiter – das waren zwei: Franz Marc und ich. Mein Freund ist tot, und allein möchte ich es nicht übernehmen.« Diese ritterliche Haltung kommt auch in einem – unveröffentlichten – Brief an Sir Herbert Read vom 18. November 1933 zum Ausdruck, in dem es heißt: »Die dritte [Auflage] lehnte ich ab, da Marc schon tot war.«

Und dennoch erschiene es müßig zu fragen, ob eine weitere Entwicklung möglich gewesen wäre. Eine glückhafte Begegnung von wahrhaft geschichtlichem Rang wie die der beiden kongenialen Künstler ist stets eine kurze Sternstunde und leuchtet doch weit in die Zukunft.

Gehalt und Wirkung

Die spontane Entstehung und das fragmentarische Ergebnis des Buches lassen dessen nachhaltigen Erfolg um so wunderbarer erscheinen; zugleich aber müssen sie den Leser warnen, die Schrift etwa als ein systematisches Kompendium zeitgenössischer Kunsttheorie anzusehen. Worauf die Wirkung dieses Fanals beruhte, war vielmehr die Überzeugungskraft einiger weniger, im Grunde einfacher, aber zur rechten Zeit verkündeter Wahrheiten. Aphoristischer in den drei kurzen Eingangsartikeln Marcs, ausführlicher in den drei abschließenden Beiträgen Kandinskys formuliert, zwischen diesen Eckpfeilern bereichert durch die Aufsätze der Mitarbeiter und von den fast eineinhalbhundert eingestreuten Abbildungen immer wieder anschaulich illustriert – wird eher die Vision eines zukünftigen Idealreiches der Kunst gegeben als ein wissenschaftliches System. Man mag geradezu einen utopischen Zug darin entdecken; und dennoch haben Kandinsky und Marc mit ihren Gefährten nicht weniger als ein Programm der modernen Ästhetik skizziert und Grundsätze bildnerischen Schaffens ausgesprochen, die nach fünfzig Jahren nichts von ihrer Aktualität eingebüßt haben.

Wenn wir die Künstler des »Blauen Reiters« als »Revolutionäre« zu bezeichnen pflegen, so kann dieser Ausdruck doch niemals meinen, daß etwa jegliche Tradition geleugnet werden sollte. Zu den wahren Quellen der Kunst zurückzuführen war vielmehr eines der dringendsten Anliegen. Nach Kandinskys Plan war eine »Kette zur Vergangenheit« die Voraussetzung zu dem »Strahl in die Zukunft«, den man sich von seinem Wirken erhoffte. Schon der Begriff »Der Blaue Reiter« klingt seltsam, ohne doch eigentlich zu befremden. Die beiläufige Schilderung von dem Nachmittag in Sindelsdorf sagt nichts über den geistigen Hintergrund aus, vor dem die Namensfindung erst deutliche Konturen gewinnen würde. Ja, man hat fast den Eindruck, als ob der Künstler allzu vorlauten Fragen absichtlich ausweichen wollte. Er setzte die Aufklärung darüber gleichsam voraus. Und wirklich: Wie viele Ableitungen und Assoziationen sich uns auch aufdrängen mögen, wir alle glauben doch unmittelbar zu verstehen, was Kandinsky und Marc dabei meinten. Der Adel der Gesinnung, den der Europäer seit jeher mit der Vorstellung »Reiter« verbindet, und der Gefühlsgehalt der Farbe Blau, die seit der Romantik die Sehnsucht nach geistiger Erfüllung bedeutet, sind die Koordinaten des geschichtlichen Ortes dieser Begegnung. Das endgültige Umschlagbild, das Kandinsky nach zahlreichen Entwürfen für den Almanach schuf, läßt jene abendländisch-christliche Tradition noch ahnen, denn die Gestalt des »Blauen Reiters« ist aus den altgeheiligten Figuren eines Ritters St. Georg und St. Martin entwickelt. Die Komposition in zwei Farben, die unabhängig voneinander leben und sich doch zur Einheit fügen, wirkt wie ein Sinnbild dieser schöpferischen Freundschaft[43].

Den vielschichtigen Voraussetzungen der Gedankenwelt des »Blauen Reiters« nachzuspüren würde nicht mehr und nicht weniger heißen, als eine europäische Geistesgeschichte des gesamten 19. und des beginnenden 20. Jahrhunderts aufzuzeichnen. Denn die Wurzeln reichen zurück bis in die klassisch-romantische Epoche; Fäden lassen sich spannen vom französischen Symbolismus und der russischen Mystik her, die ihrerseits in der deutschen Romantik – in Schelling und Hegel – eines ihrer Quellgebiete besaßen. Wagner und Nietzsche haben ihren Eindruck hinterlassen wie die Ästhetiker des Jugendstils und des Neuidealismus. Als erregende Parallelen drängen sich Freuds Tiefenpsychologie auf, Husserls Lehre von der »Wesensschau« der Dinge und vor allem Bergsons Philosophie vom »élan vital«, dessen »Schöpferische Entwicklung« im selben Jahr 1912 wie der Almanach Kandinskys und Marcs erschien und der – wie schon Ernst Troeltsch nachgewiesen hat – ebenfalls nachhaltig von Klassik und Romantik beeinflußt worden ist. Daß Worringers Schrift »Abstraktion und Einfühlung«, die 1908 bei

Piper erschienen war, den Gedanken des »Blauen Reiters« überraschend nahe kommt, ist wiederholt betont worden.

Was allen Stimmen der Zeit gemeinsam war, ist die Absage an den Ausschließlichkeitsanspruch der empirischen Erkenntnis. Die »geistige Wendung« – so beurteilte Kandinsky in seinem Traktat die Lage – hätte ein so stürmisches Tempo angeschlagen, daß auch die Wissenschaft mitgerissen würde und »vor der Tür der Auflösung der Materie« stünde. Der hymnische, beschwörende Ton, der den »Blauen Reiter« beherrscht, ist nur aus jener apokalyptischen Hochstimmung am Vorabend des Weltkrieges zu erklären: »Den Schluß des 19. Jahrhunderts und den Anfang des 20. hält Kandinsky für den Anfang einer der größten Epochen des geistigen Lebens der Menschheit. Er nennt sie die ›Epoche des großen Geistigen‹.« So hat der Künstler sich noch 1918/19 in einer »Selbstcharakteristik« gesehen. Franz Marc drückte im »Blauen Reiter« die Überzeugung aus, »daß wir heute an der Wende zweier langer Epochen stehen, ähnlich wie die Welt vor anderthalb Jahrtausenden« (S. 38 [12]).

Daß ein neues geistiges Zeitalter den Materialismus des 19. Jahrhunderts ablösen werde und daß gerade die Kunst berufen sei, diese Wende einzuleiten, war damals ein weitverbreiteter Glaube. Hugo Ball hat das Ziel, als dessen »Prophet« ihm Kandinsky galt, umrissen: »die Wiedergeburt der Gesellschaft aus der Vereinigung aller artistischen Mittel und Mächte«. Dieses Streben nach einer Kultursynthese ist ein hervorstechendes Merkmal des »Blauen Reiters«. Die alte Idee der deutschen Romantik vom Gesamtkunstwerk war damit in ein neues Stadium der Verwirklichung getreten. Stets ging es diesen Künstlern um mehr als »Kunst«. Marc forderte, »daß die Erneuerung nicht formal sein darf, sondern eine Neugeburt des Denkens« (S. 30 [6]) sei, und formulierte im Bewußtsein dieser Sendung die Aufgabe der Künstler: »Durch ihre Arbeit ihrer Zeit *Symbole* zu schaffen, die auf die Altäre der kommenden geistigen Religion gehören und hinter denen der technische Erzeuger verschwindet« (S. 31 [7]). Klar hat auch Kandinsky sich zu sozialer Verantwortung bekannt und den »totalen Verlust der Wechselbeziehungen zwischen der Kunst und dem Leben der menschlichen Gesellschaft« beklagt. So sah er noch 1936 seinen Auftrag:

> »Marc und ich hatten uns in die Malerei gestürzt, aber die Malerei allein genügte uns nicht. Ich hatte dann die Idee eines ›synthetischen‹ Buches, welches alte, enge Vorstellungen auslöschen und die Mauern zwischen den Künsten zum Fallen bringen sollte … und das endlich beweisen sollte, daß die Frage der Kunst nicht eine Frage der Form sondern des künstlerischen Gehalts ist.«[44]

Erstaunlich klar wurden aus dieser Lage die Folgerungen für die Kunst gezogen. Es war Franz Marc, der eingangs unter Berufung auf Greco und auf Cézanne jenes mit Recht berühmt gewordene, die Aufgabe des Künstlers in unserer Zeit dichterisch erfassende Wort fand: »die *mystisch-innerliche Konstruktion*, die das große Problem der heutigen Generation ist« (S. 23 [3]. Roger Allard gebrauchte in seinem Beitrag über den Kubismus den Begriff »das Weltbild entmaterialisieren« (S. 82 [38]. August Macke definierte die Form als »Geheimnis, weil sie der Ausdruck von geheimnisvollen Kräften ist« (S. 54 [21]). Kandinsky aber hatte schon in seinem Traktat von der »prophetischen Äußerung Goethes« gesprochen und druckte nunmehr jenen Abschnitt aus Riemers »Gesprächen mit Goethe« im Almanach repräsentativ ab, der als Leitmotiv aller gemeinsamen Bemühungen gelten darf:

> »Im Jahre 1807 sagte *Goethe*, ›in der Malerei fehle schon längst die Kenntnis des Generalbasses, es fehle an einer aufgestellten, approbierten Theorie, wie es in der Musik der Fall ist‹« (S. 87 [42]).

Der unter diesen Aspekten gesehenen »Formfrage« galt der umfangreichste Aufsatz des Almanachs überhaupt (S. 132–182 [74–100]). Grohmann hat ihn »Kandinskys reifsten Beitrag zur Kunsttheorie« genannt. Das Prinzip der »inneren Notwendigkeit«, das der Künstler zeitlebens als den Kernpunkt seiner Überzeugungen betrachtet hat, ist hier propagiert[45]. Es erlaubte eine äußerlich grenzenlose Freiheit in der Wahl der Ausdrucksmittel und ließ eine Kunst zu, die den Pol der »großen Abstraktion« ebenso umfaßte wie den der »großen Realistik« (S. 147 [82]). Es rechtfertigte auch die zunächst verwirrende Vielfalt der Abbildungen des Bandes, der in einer dem Traktat Kandinskys beigegebenen Anzeige mit dem Anspruch angekündigt wurde, daß

»die Publikation ein Sammelplatz derjenigen Bestrebungen sein wird, die heute auf allen Gebieten der Kunst sich so kräftig bemerkbar machen und deren Grundtendenz ist: die bisherigen Grenzen des künstlerischen Ausdrucksvermögens zu erweitern«.

Die Reproduktionen wurden als ein wesentlicher Bestandteil des Buches angesehen. Da nicht »die konventionelle Außenseite«, sondern das »innere Leben« über die Echtheit eines Werkes entscheidet (S. 36 [10]), wurden die normativen Maßstäbe der klassischen Ästhetik hinfällig. »Wir gingen mit der Wünschelrute durch die Kunst der Zeiten und der Gegenwart«, heißt es im Vorwort zur zweiten Auflage (siehe Dokumente S. 324). Die Gegenüberstellung der Bilder wurde sorgfältig abgewogen, damit dem »inneren Klang« des einen Werkes der »Gegenklang« des anderen antwortet. Zugleich aber bedeuten die Zeugnisse der alten anerkannten Kulturen eine »Feuerprobe« für die eigenen Bestrebungen (S. 33 [8]). So versprach sich denn Kandinsky einen hohen Gewinn für den Betrachter, der sich den Abbildungen mit der rechten Einstellung nähert:

»Wenn der Leser dieses Buches imstande ist, sich seiner Wünsche, seiner Gedanken, seiner Gefühle zeitweise zu entledigen, und dann das Buch durchblättert, von einem Votivbild zu Delaunay übergeht und weiter von einem Cézanne zu einem russischen Volksblatt, von einer Maske zu Picasso, von einem Glasbild zu Kubin usw. usw., so wird seine Seele viele Vibrationen erleben und in das Gebiet der Kunst eintreten.« (S. 180f. [99])

Die Erweiterung der bisherigen Grenzen des künstlerischen Ausdrucksvermögens, die als eine »Grundtendenz« der Herausgeber propagiert wurde, haben wir schon bei der Schilderung der Entstehung des Bandes verfolgt. Nicht zum wenigsten durch diese provozierende Gleichstellung der bildnerischen Zeugnisse verschiedener Weltepochen und Kulturkreise wirkte der »Blaue Reiter« bei seinem Erscheinen revolutionär.[46] Doch hatte auch diese Tendenz ihre Vorgeschichte. In der Romantik waren die altdeutsche Graphik und die mittelalterlichen oder persischen Miniaturen wiederentdeckt worden; bei den neueren Franzosen waren seit der zweiten Hälfte des 19. Jahrhunderts »l'art japonais« und »l'art primitif et l'art populaire« befruchtende Stichworte geworden. Endlich hatten unabhängig voneinander Picasso und die Maler der »Brücke« kurz zuvor auch die Negerkunst und die übrigen Schätze der ethnographischen Museen als unerwartete Bestätigung eigenen »Abstraktionsdranges« begrüßt. Aber die Zusammenschau aller dieser Äußerungen vergangener Epochen und fremder Kulturen, die dem akademischen Naturalismus der offiziellen Kunst diametral entgegengesetzt waren, bleibt die Leistung des »Blauen Reiters«. Dazu kamen selbständige Entdeckungen.

Eine fast zufällige Bereicherung waren die ägyptischen Schattenspielfiguren. Gelehrte hatten sie soeben einem wissenschaftlichen Leserkreis unterbreitet. Durch Dr. Paul Marc war Kandinsky auf die Zeitschrift »Islam« aufmerksam gemacht worden und hatte die Abbildungen aus dem Aufsatz von Professor Kahle zunächst für eine geplante Kompositionslehre benutzen wollen.

Bereits die Nabis hatten jene Images d'Epinal geschätzt, um deren Zusendung man Girieud bat. Als östliche Parallele dürfen die russischen Volksblätter – die Lubki – angesehen werden. Ihre naive, antinaturalistische Darstellungsweise kam den modernen Künstlern sehr entgegen. Durch den »Blauen Reiter« wurden sie zum erstenmal ausländischen Kunstfreunden bekanntgemacht. Kandinsky fügte acht Neudrucke nach den alten Holzstöcken aus seinem Besitz der graphischen Ausstellung bei Goltz hinzu – und gerade über diese »Verhöhnung« war das Publikum entsetzt. Dabei hatte er dem Katalog einen erläuternden Text beigegeben, den er fast wörtlich in den »Blauen Reiter« übernahm:

»Diese Art Blätter wurde hauptsächlich im Anfang bis Mitte des 19. Jahrhunderts in Moskau gemacht (die Tradition geht natürlich sehr weit zurück). Sie wurden durch wandernde Buchhändler bis in die verstecktesten Dörfer zum Verkauf gebracht. Man sieht sie noch heute in den Bauernhäusern, wenn sie auch stark durch Lithographien, Oeldrucke etc. verdrängt werden.« (S. 245 [136])

An erster Stelle – noch vor den französischen und russischen Volksblättern – nennt das provisorische Inhaltsverzeichnis »bayrische Glasbilder« (siehe Dokumente S. 310). Wie kein anderer Zweig der Volkskunst hat die bäuerliche Hinterglasmalerei Anschauungen und Formensprache des Münchner Kreises beeinflußt[47]. Murnau am Staffelsee, häufiger Aufenthaltsort Jawlenskys und der Werefkin sowie Wohnsitz Kandinskys und der Münter, war ein Vorort jener Hausindustrie. Man sammelte diese Zeugnisse einer zu Ende gehenden Zeit. »Jawlensky hatte in seinem Atelier in München eine ganze Wand mit Glasbildern voll hängen«, so berichtet ein Besucher; und der Biograph Gabriele Münters schreibt: »Auf der Dult gekauft, hingen diese Bilder in der Wohnung in Geschwadern.« Die Malerfreunde durften vor allem die vielen hervorragenden Exemplare studieren, die der Braumeister Krötz in Murnau zusammengebracht hatte. Aus dieser Sammlung wählten Kandinsky und Marc nicht weniger als elf Beispiele für den Almanach aus. Durch deren Veröffentlichung wurden die bäuerlichen Hinterglasbilder in die Kunstgeschichte eingeführt. Doch damit nicht genug: Die Begegnungen mit diesem alten Kulturgut regten die Künstler zu eigenen Versuchen in dieser Technik an. Fast alle haben in schöpferischer

Nachempfindung selbst Hinterglasbilder gemalt. Und sogar das Sinnbild – die Gestalt des blauen Reiters – verdankt dieser intensiven Beschäftigung mit der Volkskunst seine endgültige Prägung. Denn nach zahlreichen andersartigen Entwürfen entschloß sich Kandinsky, für den Umschlag des Buches den Reiter aus einem seiner Hinterglasbilder zu übernehmen[48].

Zu Weihnachten 1911 schenkte Marc dem Freund ein selbst gearbeitetes Bildchen in dieser Technik. Es stellte den Maler Henri Rousseau dar. Reinhard Piper hatte ein Exemplar der soeben in Frankreich erschienenen kleinen Monographie Wilhelm Uhdes an Kandinsky gesandt. Dieser kannte die Werke des Malers bereits aus Paris und hatte schon in seinem Brief vom Juni 1911 an Rousseau gedacht. Erst jetzt aber wurde ihm der »peintre naïf« zu einer Offenbarung. Er fand darin seinen Gegenpol und schrieb in dem Beitrag über die Formfrage: »Henri Rousseau, der als Vater dieser Realistik zu bezeichnen ist, hat mit einer einfachen und überzeugenden Geste den Weg gezeigt« (S. 172 [94]). Er bat Uhde schriftlich, ihm einige Klischees für den »Blauen Reiter« auszuleihen, und erwarb durch die Vermittlung Delaunays aus dem Nachlaß Rousseaus die »Straße« (Abb. S. 146 [81]). Marc geriet beim Anblick der – in der Monographie doch sehr unzulänglich reproduzierten – Malereien in eine derartige Begeisterung, daß er daraus das Selbstbildnis des »Douanier« in Hinterglastechnik kopierte und diese Kopie Kandinsky verehrte. Welch eine Tat und welch ein Wagnis war die Veröffentlichung von sechs Beispielen dieser Inkunabeln der »naiven Malerei« und damit deren Erhebung zu Werken der Kunst! Reinhard Piper glaubte es damals noch nicht wagen zu dürfen, eine von Delaunay angeregte deutsche Ausgabe des Bändchens von Uhde zu veranstalten. Erst 1914 erschien diese bei Alfred Flechtheim in Düsseldorf.

Ebenso selbstverständlich wie das Ernstnehmen dieser Malerei erscheint uns heute schließlich das Interesse für die künstlerischen

Äußerungen der Kinder. Wir vergessen darüber die Tatsache, daß es auch hier der »Blaue Reiter« war, welcher die Bahn gebrochen und das Verständnis dafür geweckt hat. Im Almanach ist nicht nur eine Reihe von Kinderzeichnungen abgebildet, vielmehr hat Kandinsky – wiederum in seinem grundlegenden Artikel über die Formfrage und in engem Bezug zur Laienmalerei eines Rousseau – versucht, mit psychologischer Begründung jene bildnerischen Übungen verstehen zu lehren:

> »Das Praktisch-Zweckmäßige ist dem Kind fremd, da es jedes Ding mit ungewohnten Augen anschaut und noch die ungetrübte Fähigkeit besitzt, das Ding als solches aufzunehmen ... So entblößt sich in jeder Kinderzeichnung ohne Ausnahme der innere Klang des Gegenstandes von selbst« (S. 168 [92]).

Jener Gedanke vom »inneren Klang«, den ein Maler in jedem Ding erfühlt und im Beschauer seines Werkes widertönen läßt, eröffnet am leichtesten den Zugang zur Idee der Analogie oder Synästhesie der Künste und zur Forderung nach ihrer »Synthese«. Diese wird beispielhaft vornehmlich in dem Verhältnis von Malerei und Musik behandelt, dem ein breiter Raum im Almanach gewährt ist. Die Idee ist nicht neu, steht doch schon bei Plato der Satz: »Auch die Malerei ist erfüllt von denselben Gesetzen wie die musikalische Rhythmik« (Staat III, 10 ff.). Seit der Vorromantik war die Vorstellung von der »Farbenmusik« in ein akutes Stadium getreten, und um 1900 darf die Überzeugung von der Verwandtschaft zwischen den Künsten gleichsam als Allgemeingut der Maler und Musiker betrachtet werden. Es gilt jedoch auch auf diesem Gebiet, daß erst »Der Blaue Reiter« Ernst gemacht hat mit einer Verwirklichung. Wie kein anderer war Kandinsky dafür geschaffen, gedachte er doch anfangs, dem »Geistigen in der Kunst« den Untertitel »Farbensprache« zu geben. Er hatte einerseits die russischen Bemühungen mit lebhafter Anteilnahme verfolgt und darauf in einer Anmerkung seines Traktates aufmerksam gemacht; so war es naheliegend, daß

Kandinsky den Mussorgski-Schüler Leonid Sabanejew bat, über Skrjabins »Farbensymphonie des Prometheus« zu berichten, die »auf dem Prinzip der korrespondierenden Klänge und Farben« beruht (S. 107–124 [57–68]). Auf der anderen Seite bedeutete für ihn die Freundschaft mit Arnold Schönberg – »eine der erstaunlichsten Konjunktionen am Firmament des zwanzigsten Jahrhunderts« (H. H. Stuckenschmidt) – die entscheidende Möglichkeit zu einer Zusammenarbeit. Gleichzeitig mit dem Traktat des Malers sollte zu Weihnachten 1911 die »Harmonielehre« des Musikers erscheinen, ein nicht nur äußerliches Zusammentreffen; findet sich doch darin dieselbe Grundhaltung: »Der Künstler tut nicht, was andere für schön halten, sondern nur, was ihm notwendig ist.« Wie Kandinsky an Marc geschrieben hatte: »Schönberg *muß* über deutsche Musik schreiben«[49], so entschieden rief er daher den Komponisten zur Mitarbeit auf: »Erste Nummer ohne Schönberg! Nein, das will ich nicht« (16. September 1911). In der Tat enthüllt der Beitrag über »Das Verhältnis zum Text« überraschende Gemeinsamkeiten. Wie bei Kandinsky nicht theoretische Grundsätze am Anfang gestanden hatten, sondern visuelle Empfindungen, so bei Schönberg ein Klangerlebnis. Und die Worte aus dem Schlußpassus könnten bei Kandinsky stehen:

> »... daß scheinbares Divergieren an der Oberfläche nötig sein kann wegen eines Parallelgehens auf einer höheren Ebene.« (S. 75 [33]).

Es war nun auch ein besonderer Glücksfall, daß der russische Komponist Thomas von Hartmann, den der Maler schon 1909 in München kennengelernt hatte, erneut nach Deutschland kam und einen intensiven Gedankenaustausch mit Kandinsky pflegte. Der Beitrag »Über Anarchie in der Musik« ist die Frucht dieser Gespräche. Der Verfasser beruft sich ebenfalls auf den Begriff der »inneren Notwendigkeit« und definiert »das Wesen des Schönen eines Werkes« als »das Korrespondieren der Ausdrucksmittel mit der inneren Notwendigkeit« (S. 89 [43 f.]). Hartmann hat in einem ungedruckten New Yorker Vortrag von 1950 auf seine Freundschaft mit dem Maler Rückschau gehalten und darin dessen Komposition »Der gelbe Klang« (S. 209–229 [115–131]) als »das größte Wagnis in der Bühnenkunst bis auf unsere Tage« bezeichnet. Man sollte diesen Entwurf eines abstrakten Gesamtkunstwerkes, das nach Grohmann bereits 1909 niedergeschrieben worden ist, nicht ohne die einleitenden Grundsätze des Autors »Über Bühnenkomposition« (S. 189–208 [103–113]) studieren. Erst dann wird der Leser das Stück als die logische Fortführung der Gedanken über eine »Synthese« der Künste und zugleich als den krönenden Schlußakkord des ganzen Buches verstehen. Vielleicht an keiner Stelle des »Blauen Reiters« wird dessen Verwurzelung in der Kunstanschauung der Frühromantik so deutlich wie hier: Plante doch schon der Novalis nahestehende Philipp Otto Runge »eine abstracte malerische phantastisch-musikalische Dichtung mit Chören«[50].

Wie Runges Traum unerfüllt blieb, so auch die ein Jahrhundert jüngere Vision. Kandinsky bemerkte in einer Fußnote, »der musikalische Teil wurde von Thomas v. Hartmann übernommen (S. 210 [117]). Dieser bestätigte die Mitteilung in seinem New Yorker Vortrag und fügte hinzu, er habe das Stück mit seiner Musik und mit Entwürfen zur Ausstattung von der Hand Kandinskys dem Moskauer Künstlertheater vorgelegt: ». . . doch konnten auch sie es nicht verstehen und nahmen es nicht an. Diese Skizzen und meine Musik – alles ging in der Revolution verloren.« Erst 1956 – fast ein halbes Jahrhundert später – haben sich Jacques Polieri und Richard Mortensen des Werkes angenommen.

Unversehens haben wir beim Verfolgen jener »Kette zur Vergangenheit« zugleich etwas von dem »Strahl in die Zukunft« aufleuchten sehen. Die tatsächliche Wirkung des Almanachs im einzelnen feststellen zu wollen muß jedoch in die Irre führen. Denn es gibt dazu keine Möglichkeit, weil man niemals exakt wird angeben können, welcher Art und wie umfassend der zeitgenössische Leserkreis gewesen ist, der sich von Wort und Bild hat ergreifen lassen. Zudem war das Buch ja lediglich eines der Mittel, durch welche die Bewegung des »Blauen Reiters« dem Publikum bekannt geworden ist. Es bedeutete überdies nur eine – vielleicht freilich die wichtigste – Etappe in der Entwicklung Kandinskys und Marcs sowie mancher der übrigen Gefährten; andererseits ist das reiche malerische Werk August Mackes – wie der Biograph des Künstlers zu Recht betont hat – keineswegs nur als Ergebnis jener Berührung zu verstehen, sondern muß als eigenständiger Beitrag zur Malerei des 20. Jahrhunderts gewertet werden. Umgekehrt aber wäre die Gedankenwelt Paul Klees, der im einzigen erschienenen Band nur mit einer kleinen Zeichnung vertreten ist, für eine umfassende Würdigung der Zukunftsbedeutung des Kreises ebenso heranzuziehen wie der »Orphismus« Delaunays. Mit anderen Worten: Die Geschichte des »Blauen Reiters« erschöpft sich nicht in der Geschichte des Bandes, der diesen Namen trägt. Nur mit der letzteren aber haben wir es hier zu tun.

Wir fragen nach zuverlässigen Marken, an denen das Maß des Verständnisses – in negativem wie in positivem Sinne – ablesbar ist, welches der Veröffentlichung bei Erscheinen entgegengebracht wurde. Daß das Buch damals nur bei wenigen auf Verständnis und Zustimmung stieß, kann nicht überraschen. Anton von Werner, der Direktor der Berliner Kunstakademie, nannte es nur »ein interessantes Objekt für eine psychiatrische Studie«[51]. Es war bezeichnenderweise ein dem Neuen aufgeschlossener Kunsthistoriker der Wiener Schule, aus dessen Feder – soweit ich sehe – die klügste und ausführlichste Besprechung stammt; eine der ganz wenigen zustimmenden Rezensionen überhaupt und schon darum wert, der Vergangenheit entrissen zu werden. Der im selben Jahr wie Marc geborene Hans Tietze zeigte den Band in der Zeitschrift »Die Kunst für Alle« an[52].

Tietze begreift, den Beiträgen der Verfasser folgend, diese Werke und die Thesen ihrer Schöpfer aus der geschichtlichen Situation. Er versteht diese Kunst als »eine bewußte Reaktion gegen den Impressionismus« und gegen »die illusionistische Wiedergabe der Natur«. In Anknüpfung an Roger Allards Wendung heißt es: »Der neue Stil entmaterialisiert das Weltbild.« Zu den Bestrebungen um Schaffung einer künstlerischen Sprache »aus Linien und Massen, aus Farben und Farbentönen, die keine Erinnerungen bestimmter Gegenstände und keine intellektuellen Assoziationen erwecken wollen«, sagt er richtig, daß die Bewegung »noch zu sehr im Werden« sei, »um schon über eine fertige Formengrammatik, einen Generalbaß, wie der Blaue Reiter mit einem Worte Goethes sagt, zu verfügen«. Als charakteristisch sieht der Rezensent an, »daß diese Richtung gerade in einer Zeit aufblüht, in der auch in der Aesthetik der Ausdruck als Grundelement der Kunst stärker berücksichtigt wird als je zuvor«. Mit der Warnung, jene Theorien, die papieren seien wie alle Theorien, nicht mit der Bewegung zu identifizieren, und mit dem Bekenntnis, manches neue Werk löse allein mittels seiner Formen und Farben einen Widerhall aus, »dessen Intensität wunderbar und fast unbegreiflich« sei, verbindet er die Überzeugung, daß

> »dieses Ringen nach Durchgeistigung, dieser Kampf um eine neue Synthese nicht umsonst gewesen« sei: »Mit einer Eindringlichkeit sondergleichen wird uns hier in Erinnerung gerufen, daß die Nachahmung der Natur, das Abbilden der Wirklichkeit nicht die Aufgabe der Kunst sind . . .«

Und so bestätigt Tietze schließlich den Zusammenhang mit der wahren Tradition und feiert die Herausgabe des Bandes

> »als eine mutige und befreiende Tat. Nichts Heilsameres kann der deutschen und aller Kunst in diesem Augenblick zuteil werden als dieses in seiner unerbittlichen Konsequenz erschütternde Memento; diese Mahnung an das herrliche Vorrecht, das Albrecht Dürer für den Künstler in Anspruch genommen hat:

aus sich heraus eine Welt zu schaffen, die außer ihm nicht existiert.«

Die Beziehungen des »Blauen Reiters« zu der gleichzeitigen Ästhetik führen auf die Frage, ob der Band auch die Methoden der Kunstgeschichte bereichert haben könnte. Heinrich Wölfflin stellte ja schon 1914 die These auf: »Kunstgeschichte und Kunst laufen parallel.« Wieder sollen einige Beispiele zumindest die Berechtigung dieser Frage andeuten. Bei der Erörterung jener im Almanach anschaulich praktizierten »vergleichenden Kunstgeschichte« ist uns der Gedanke gekommen, daß diese Gegenüberstellung von Bildern der verschiedenen Epochen wohl hier erstmals feststellbar ist, und damit wäre ein wichtiges methodisches Hilfsmittel der Wissenschaft genannt. Ludwig Grote hat ferner darauf hingewiesen, daß das im »Blauen Reiter« reproduzierte Gemälde »Saint-Séverin« von Delaunay die Interpretation der Gotik beeinflußt hat[53]. Und wenn Hans Hildebrandt sich 1912 in seiner Antrittsvorlesung an der Technischen Hochschule Stuttgart um den Nachweis bemühte, eine Malerei ohne gegenständlichen Inhalt wäre durchaus denkbar und legitim, so dürfen wir auch darin einen Niederschlag des kurz zuvor erschienenen Bandes und des Traktates von Kandinsky erblicken[54]. Ob das 1918 veröffentlichte Buch von Max Picard über »Expressionistische Bauernmalerei« ohne die vorausgegangene Publizierung der bäuerlichen Hinterglasbilder im »Blauen Reiter« entstanden wäre, darf immerhin bezweifelt werden. Schließlich bleibt als ein unverfänglicher Zeuge wiederum Heinrich Wölfflin zu nennen. Er erhob bekanntlich die vergleichende Beschreibung von Kunstwerken zu höchster Meisterschaft. Hans Jantzen hat unter Hinweis auf die von Wölfflin herausgegebene, 1918 erschienene Ausgabe der »Bamberger Apokalypse« auf die »plötzliche Hinwendung des Verfassers der ›Klassischen Kunst‹ selbst zu einer Handschrift, die vom Stil her gesehen nicht mehr mit den für eine Renaissancekunst gültigen Begriffen zu erfassen ist«, aufmerksam gemacht. In der Tat scheinen die

Ausführungen des Gelehrten nicht nur Worringers Schrift, sondern vor allem den Almanach zu treffen:

»Erst neuerdings – in auffallender Parallelität zu gewissen Entwicklungen der modernen Malerei – ist man auf das Positive der Wirkung bei dieser sogenannten Erstarrung aufmerksam geworden und hat angefangen, statt die mindere Qualität zu tadeln, die anders geartete Absicht ins Auge zu fassen.«[55]

Die »gewaltige, katastrophale Erschütterung unserer ganzen Kultur«, die Tietze als Voraussetzung für ein Verständnis der neuen Kunst ansah, sollte nur allzubald erfolgen. Aber auch der Weltkrieg ließ die Flamme nicht verlöschen, welche Kandinsky und Marc entfacht hatten. Von München aus verbreitete sich das Gedankengut in andere Zentren. Herwarth Waldens »Sturm« hatte sich schon seit 1912 tatkräftig für den Kreis um den »Blauen Reiter« eingesetzt. Durch Kubins Vermittlung war im folgenden Jahr Lyonel Feininger hinzugestoßen: Der Brief Franz Marcs an ihn, der die Einladung zu gemeinsamem Wirken ausspricht, ist mit dem Signet »Der Blaue Reiter« geschmückt. Walden hat während des Krieges und noch später durch seine Zeitschrift und seine Ausstellungen – wenn auch höchst eigenwillig – an der Durchsetzung dieser Kunst sehr bedeutenden Anteil gehabt.

Vom »Sturm« laufen Verbindungsfäden nach Zürich hinüber, wo sich in der Emigration ein neuer Kreis bildete. Hans Arp hatte schon an der Graphik-Ausstellung in München teilgenommen und war im Almanach mit einer Zeichnung und mehreren Vignetten vertreten. Nun kam Hugo Ball in die Schweiz. Eine Eintragung in seinem Tagebuch von 1917 läßt mit einem Schlage das geistige Erbe deutlich werden:

»Gestern mein Vortrag über Kandinsky; ich habe einen alten Lieblingsplan verwirklicht. Die Gesamtkunst: Bilder, Musik, Tänze, Verse – hier haben wir sie nun . . .«

Und das wenige Tage danach mitgeteilte »Programm der II.

(›Sturm‹-) Soirée« enthält denn auch wohlvertraute Namen: Von Kandinsky wurden die Gedichte »Fagott«, »Käfig«, »Blick und Blitz« vorgetragen; von Walden die Nachrufe auf August Macke, Franz Marc und August Stramm; von Oskar Kokoschka kam »Sphinx und Strohmann« zur Aufführung[56].

Ungleich folgenschwerer als diese Unternehmungen wurde jedoch die Gründung des »Bauhauses«. Es ist berechtigt, darin die legitime Fortführung des »Blauen Reiters« auf einer neuen geschichtlichen Stufe zu sehen. Selbstverständlich war diese frühere Bewegung weder die einzige Grundlage der neuen Gründung, noch wurden ihre Gedanken etwa unverändert übernommen. Auch soll der Gestaltwandel innerhalb des Bauhauses selbst nicht außer acht gelassen werden. Doch allein schon die Tatsache, daß Walter Gropius die überlebenden Meister des Kreises – Kandinsky, Klee und Feininger – an diese Stätte berief, ist ein unwiderlegbarer Beweis für die Anknüpfung an jene Bestrebungen vor dem Weltkrieg. Nur ein tragisches Mißverständnis hat es zudem verhindert, daß auch Schönberg für Weimar gewonnen wurde, um dieses geistig-künstlerische Zentrum durch die Musik zu bereichern; die Zusammenhänge werden so noch weitaus deutlicher[57]. Das mit Feiningers berühmtem Holzschnitt der »Kathedrale des Sozialismus« geschmückte Manifest von Walter Gropius trägt denselben – wieder möchte man sagen: utopischen – Charakter wie die Vorstellungen des »Blauen Reiters« von einem »visionären Advent« und ist bis in die Diktion hinein mit Franz Marcs Aufzeichnungen vergleichbar. Als sich gar Kandinsky, Klee und Feininger mit Jawlensky noch enger zusammenschlossen, da gaben sie dieser neuen Gemeinschaft die Bezeichnung »Die Blaue Vier«. Klee hat ausdrücklich bestätigt, daß in der Wahl des Namens die auf geistiger Grundlage beruhende Freundschaft der vier Künstler hat zum Ausdruck kommen sollen. Galka Scheyer, die Seele und Propagandistin der »Blauen Vier«, wählte diesen Titel in bewußter Anlehnung an den »Blauen Reiter«

in München: »Es sollte nichts Neues begründet werden, sondern nur etwas bereits Bestehendes zur Geltung gebracht werden, denn ihnen allen war das Streben nach einem ›Geistigen in der Kunst‹ gemeinsam, das nicht interpretiert werden mußte, aber das ›verkündet‹ werden sollte.«[58]

Kandinsky sprach noch 1930 von der »Blaue-Reiter-Idee«, und Mies van der Rohe sah auch im Bauhaus »eine Idee«. Das Gemeinsame war eben jener Gedanke einer alle Gebiete umfassenden Kultursynthese. Wie ein Jahrzehnt zuvor in München wollte man in Weimar und Dessau eine Rückbesinnung auf die Elemente der Gestaltung: Kandinskys »Punkt und Linie zu Fläche« und Klees Vorlesungen über »Das bildnerische Denken« sind Lehrbücher für den »Generalbaß« der Malerei, den Goethe gefordert hatte; die hier festgelegten Prinzipien haben seither die Welt erobert. Ebenso aber wie die »Blauen Reiter« griff man über das Künstlerische hinaus und erstrebte eine Erneuerung der gesamten Kultur. Auch die Schöpfer und Meister des Bauhauses haben im Gefühl sittlicher Verantwortung gehandelt und – wie Paul Klee sich ausdrückte – um eine »Verbindung von Weltanschauung und reinlicher Kunstübung« gerungen, eine Verbindung, die sich noch heute als eines der ernstesten Probleme stellt.

Das Bauhaus liegt ein halbes Jahrhundert zurück, seit dem »Blauen Reiter« sind schon mehr als zwei Menschenalter vergangen. Wir teilen nicht mehr jenen hochgemuten Optimismus, daß die Welt einer neuen »Epoche des Geistigen« entgegenginge und daß die Künstler vor allen anderen berufen und mächtig seien, mittels ihrer Werke die Menschheit vom Abgrund zurückzureißen. Wir hegen Zweifel an der Überzeugung von der Wirksamkeit der Kunst auf die Masse. Wir sehen an den Ideen des »Blauen Reiters« mit dem Bleibenden stärker das Zeitbedingte.

Unverlierbar sollte jedoch das Postulat der subjektiven »Freiheit« des schöpferischen Menschen bewahrt werden, die in der »inneren

Notwendigkeit« ihre objektive Rechtfertigung zu erweisen hat. Mehr denn je gilt Marcs Wort, »daß es sich in der Kunst um die tiefsten Dinge handelt, daß die Erneuerung nicht formal sein darf, sondern eine Neugeburt des Denkens ist« (S. 30 [6f.]). Man mag noch so nachdrücklich auf die persönlichen und zeitgeschichtlichen Voraussetzungen des »Blauen Reiters« hinweisen. Man mag in dieser Bewegung den Höhepunkt einer spezifisch münchnerischen Kunst erkennen wollen. Man mag den Gedankenreichtum auf nationales Erbe zurückführen – sei es der Deutschen, der Russen, der Franzosen. Heinrich Wölfflin, der bedeutende Schweizer Gelehrte, der im Erscheinungsjahr des »Blauen Reiters« auf den Münchner Lehrstuhl für Kunstgeschichte berufen wurde, hat zu Recht festgestellt, »daß die höchsten Werte der Kunst mit dem Bloß-Nationalen sich nicht decken. Es ist« – sagt Wölfflin – »das Merkmal aller großen Kunst, daß sie in die Sphäre des Allgemein-Menschlichen hineinragt.«

Anmerkungen

[1] Kunst und Künstler VIII/1909, S. 369 ff.
[2] Franz Marc im Urteil seiner Zeit. Einführung und erläuternde Texte von Klaus Lankheit. Köln 1960, S. 45 f.
[3] Zur Ausstellung der Neuen Künstlervereinigung bei Thannhauser. Sonderdruck 1910. – Franz Marc, Schriften. Herausgegeben von Klaus Lankheit. Köln 1978, S. 126–128.
[4] August Macke/Franz Marc: Briefwechsel. Köln 1964, S. 65.
[5] Klaus Lankheit: Zur Geschichte des Blauen Reiters. In: Der Cicerone 1949, Heft 3, S. 110 ff.
[6] Franz Marc im Urteil seiner Zeit, S. 48.
[7] ebd., S. 49.
[8] Wassily Kandinsky/Franz Marc: Briefwechsel. Mit Briefen von und an Gabriele Münter und Maria Marc. Herausgegeben, eingeleitet und kommentiert von Klaus Lankheit. München/Zürich 1983, S. 40 f.
[9] ebd., S. 54 f.
[10] Über Tschudi siehe: Gesammelte Schriften zur neueren Kunst von Hugo von

Tschudi. Herausgegeben von Ernst Schwedeler-Meyer. München 1912 (darin besonders: »Biographische Skizze« von E. Schwedeler-Meyer, S. 9ff., und »Vorwort zum Katalog der aus der Sammlung Marczell von Nemes-Budapest in der Kgl. Alten Pinakothek zu München 1911 ausgestellten Gemälde«, S. 226ff.). – Kurt Martin: Die Tschudi-Spende. Hugo von Tschudi zum Gedächtnis. München 1962.

[11] Kandinsky/Marc, Briefwechsel, S. 61.

[12] Wassily Kandinsky, »Der Blaue Reiter« (Rückblick). In: Das Kunstblatt 14/ 1930, S. 59, Anm. – Man hat zwar (und diese Erklärung wird in der Literatur immer weitergegeben) einen Zusammenhang der Namensgebung des Almanachs mit dem Titel eines früheren Gemäldes von Kandinsky hergestellt, als wenn der Künstler den Titel des Bildes acht Jahre später auf das Buch übertragen hätte. In der Tat gibt es aus dem Jahre 1903 die Darstellung eines Reiters in der Landschaft (Schweiz, Privatbesitz). Doch führt der Gehalt dieses Bildes der Frühzeit in ganz andere, persönliche, Bereiche. Es ist eine fast quadratische Leinwand. Deutlich offenbart sich der Einfluß des Jugendstils. Wie bei Ferdinand Hodler steigt der sonnenbeglänzte Wiesenhang hoch hinauf, wird die Tiefendimension zugunsten einer planen Folie aufgegeben. Die Stämme der herbstlichen Birken akzentuieren in ihrem Parallelismus den Ritt des Schimmelreiters mit dem blauen Mantel, der seinem eigenen Schatten nachjagt. In der kalkigen Hellfarbigkeit und der nervösen, spachtelnden Faktur liegt etwas Bedrohliches, das auf einen Zustand innerer Unruhe, ja Unsicherheit schließen läßt. Dieses Bild gehört noch nicht der Periode prophetischen Selbstgefühls und hoher Geistigkeit an, der die Publikation entspringen sollte. Das Gemälde heißt zwar heute »Der blaue Reiter«, und so steht es auch im handschriftlichen Werkkatalog des Meisters. Ein Studium dieses Verzeichnisses im Nachlaß zu Paris, das mir die Großzügigkeit Nina Kandinskys ermöglichte, führte jedoch zu der Erkenntnis, daß die ursprünglichen Bleistiftnotizen gerade auf der fraglichen Seite verblaßt waren und daher später von Kandinsky eigenhändig ebenfalls in Blei neu geschrieben worden sind. Unter der jetzigen Eintragung kann man noch den ehemaligen Titel entziffern, danach hieß das Bild nur »Der Reiter«. Es muß sich demnach umgekehrt zugetragen haben, als es die Forschung bislang annahm: Nicht das Gemälde von 1903 hat dem Almanach zu seinem Titel verholfen, sondern Kandinsky wurde bei der Überarbeitung des Werkverzeichnisses an die Publikation und die hierdurch entfachte Bewegung erinnert – und hat in launischem Einfall das Bild umgetauft. Somit entfällt auch der letzte Anlaß, an dem Bericht des Künstlers im geringsten zu zweifeln, den er 1930 an Paul Westheim gegeben hat. (Der eigenhändige Titel »Der blaue Reiter« auf der Rückseite des Gemäldes von 1903 ist kein Gegengrund, weil man den Zeitpunkt der Beschriftung nicht kennt.) Dazu jetzt: Klaus Lankheit: Der Blaue Reiter – Präzisierungen. In: Der Blaue Reiter. Ausstellungskatalog Bern, 1986, S. 223f.

[13] Macke / Marc, Briefwechsel, S. 72 f.

[14] Zitiert nach: August Macke, Ausstellungskatalog, München 1962, S. 63.

[15] Kandinsky / Marc, Briefwechsel, S. 128.

[16] Elisabeth Erdmann-Macke: Erinnerung an August Macke. Stuttgart 1962, S. 189. – Dazu: Macke / Marc, Briefwechsel, S. 110 ff.

[17] Auf diesen Subskriptionsprospekt weist eine ganzseitige Anzeige im Börsenblatt für den Deutschen Buchhandel vom 2. März 1912 hin.

[18] Kandinsky / Marc, Briefwechsel, S. 171.

[19] ebd., S. 169.

[20] Nach fünfzig Jahren. Almanach. Herausgegeben von Klaus Piper. München 1954, S. 25.

[21] Kandinsky / Marc, Briefwechsel, S. 59.

[22] Reinhard Piper: Mein Leben als Verleger. Vormittag – Nachmittag. München 1964, S. 297.

[23] ebd., S. 294.

[24] ebd., S. 295 f.

[25] ebd., S. 296.

[26] Kandinsky / Marc, Briefwechsel, S. 120.

[27] Reinhard Piper: Briefwechsel mit Autoren und Künstlern 1903–1953. Herausgegeben von Ulrike Buergel-Goodwin und Wolfram Göbel. München / Zürich 1979, S. 128 f. – Siehe jetzt auch den ausführlichen Beitrag von Andreas Meier: Das Umfeld des Verlegers, Reinhard Piper und der »Blaue Reiter«. In: Bern 1986, S. 227 ff.

[28] Kandinsky / Marc, Briefwechsel, S. 74 f.

[29] Die drei Gönner, die Marc in seinem Brief namentlich genannt hatte, waren inzwischen um Unterstützung gebeten worden. Den Düsseldorfer Kunsthändler Alfred Flechtheim hatte August Macke nach seiner Rückkehr aus Sindelsdorf mit einem handgeschriebenen, durch ausgeschnittene und aufgeklebte Andrucke bereicherten Fragment des geplanten Bandes aufgesucht (s. Dokumente S. 313 f.); der bedeutende Mäzen Karl Ernst Osthaus in Hagen war offenbar schriftlich von Marc unterrichtet worden. Beide erklärten sich bereit, im Bedarfsfalle mit 500 Mark zu helfen, dafür räumten die Herausgeber jedem das Recht ein, sich je ein Gemälde von ihnen auszuwählen. Den Hauptanteil der Bürgschaft mit 2000 Mark übernahm jedoch Bernhard Koehler. Noch ein ganzes Jahr lang zogen sich die Verhandlungen den laufenden Unkosten und Einnahmen entsprechend hin. Mit Flechtheim, der anscheinend kunsthändlerische Erwägungen ins Spiel brachte, wollte man bald nichts mehr zu tun haben. Statt dessen sprang Marcs Schwiegervater mit 500 Mark ein. Schließlich sah man auch von Osthaus' Inanspruchnahme ab.

[30] Kandinsky / Marc, Briefwechsel, S. 203.

[31] Über Bernhard Koehler siehe den Nekrolog von Ludwig Thormaehlen: Dem

Andenken Bernhard Koehlers. In: Das Kunstblatt 11/1929, S. 184f. – Siehe auch die Erinnerungen von Elisabeth Erdmann-Macke, passim, und: Gustav Vriesen: August Macke, Stuttgart ²1957. – Siehe ferner: Macke/Marc: Briefwechsel, passim – Neuestens siehe den zusammenfassenden Beitrag: Schmidt 1988.

³² Kandinsky/Marc, Briefwechsel, S. 172.

³³ Dies gilt etwa für den im »provisorischen Inhaltsverzeichnis« aufgeführten Beitrag über »Siena« von Pierre Paul Girieud, für den in der Voranzeige und im Subskriptionsprospekt angekündigten Artikel »Über Musikwissenschaft« von N. Brüssow und für einen Essay des Kunstkritikers Carl Einstein.

³⁴ Kandinsky/Marc, Briefwechsel, S. 99.

³⁵ ebd., S. 136.

³⁶ ebd., S. 226.

³⁷ Camilla Gray: Die russische Avantgarde der modernen Kunst 1863–1922. Köln 1963, S. 115.

³⁸ Klaus Lankheit: Bibel-Illustrationen des Blauen Reiters. In: Anzeiger des Germanischen Nationalmuseums (Ludwig Grote zum 70. Geburtstag). Nürnberg 1963, S. 199ff.

³⁹ Kandinsky/Marc, Briefwechsel, S. 250.

⁴⁰ ebd., S. 253.

⁴¹ ebd., S. 256.

⁴² Hugo Ball: Briefe 1911–1927. Einsiedeln/Zürich/Köln 1957, S. 29f. – Hugo Ball: Die Flucht aus der Zeit. Luzern 1946, S. 8, 10, 12f.

⁴³ Die Bereicherung durch eine Rotplatte erfolgte offenbar später und blieb der Leinenausgabe vorbehalten.

⁴⁴ Wassily Kandinsky: Franz Marc. In: W. K.: Essays über Kunst und Künstler. Herausgegeben von Max Bill. Stuttgart 1955, S. 189.

⁴⁵ Sosehr die Kandinsky-Forschung die zentrale Bedeutung dieses Prinzips für den Künstler herausgestellt hat, sowenig ist man sich über dessen Herkunft klar geworden. Der Begriff hängt zwar mit der Vorstellung der »inneren Form« zusammen, die ihrerseits tief im abendländischen Denken verwurzelt ist und seit dem 18. Jahrhundert (Shaftesbury) zu den fundamentalen Sätzen der Ästhetik gehörte. Aber es war erst die klassisch-romantische Epoche, die exakt jenen Ausdruck prägte. Goethe sprach von der »innerlichen Wahrheit und Notwendigkeit«, die seine Urpflanze haben müsse. Schiller stellte fest, daß wir in der Natur ja nicht die Gegenstände als solche lieben: »Wir lieben in ihnen... das Dasein nach eigenen Gesetzen, die innere Notwendigkeit...« Ebenso verkündete Schillers Freund Carl Ludwig Fernow, daß eben »die innere Notwendigkeit« sei, die den Kunstgesetzen ihre Gültigkeit verleihe. Auf welchem Weg dieses Gedankengut Kandinsky beeinflußt hat, bedarf im einzelnen noch der Untersuchung. Auch Richard Wagner gebrauchte den Begriff: »innere Notwendigkeit der Natur«. Alois Riegl spricht in seinem grundlegenden Band »Spätrömische Kunst-

industrie« (1901) von den Strukturprinzipien, die dem Kunstwerk »innere Notwendigkeit« verleihen.

[46] Es ist bewundernswürdig, mit welch sicherem Stilempfinden im allgemeinen die Werke andersartiger, soeben erst in den Gesichtskreis getretener Epochen ausgewählt wurden. Auf der anderen Seite mutet es wie eine Laune der Historie an und ist doch zugleich in der Gesetzlichkeit so stürmischer Bewegungen begründet, daß sich selbst Erzeugnisse minderen Ranges als fruchtbar erweisen konnten, ja daß – in einem kuriosen Einzelfall – sogar eine Fälschung die schöpferische Phantasie zu beflügeln vermochte: Die abgebildeten Beispiele japanischer und chinesischer Kunst sind keineswegs alle als Meisterwerke Ostasiens anzusprechen; und gerade der »gotische« Reiter mit dem Schriftband, der jenes programmatische Wort Goethes begleitet (S. 87) und die erste Seite des Subskriptionsprospektes schmückt, wurde in der Folgezeit als Nachahmung des 19. Jahrhunderts erkannt. Zu letzterem siehe: W. L. Schreiber: Handbuch der Holz- und Metallschnitte des XV. Jahrhunderts, Band IV... Leipzig 1928, Nr. 2107m: Unbestimmbarer Heiliger... München, Hahlweg & Stöckle... Gehört zur Folge 2063 a: »Di/Heiligen/der Landschaft/Passel/1818« (freundlicher Hinweis von Wolfgang Wegner).

[47] Klaus Lankheit: Hinterglasmalerei im XX. Jahrhundert. Ausstellungskatalog. Mainz 1962.

[48] Eberhard Roters: Wassily Kandinsky und die Gestalt des Blauen Reiters. In: Jahrbuch der Berliner Museen V/1963, S. 201ff. – Siehe auch: Kenneth Lindsay: The Genesis and Meaning of the Cover Design for the first Blaue Reiter Exhibition Catalogue. In: The Art Bulletin XXXV/März 1953, S. 47ff. – Hideho Nishida: Genèse du Cavalier bleu. In: XXᵉ siècle Nr. 27 (Dezember 1966), S. 18ff.

[49] Kandinsky/Marc, Briefwechsel, S. 54.

[50] Klaus Lankheit: Die Frühromantik und die Grundlagen der ›gegenstandslosen Malerei‹. In: Heidelberger Jahrbücher 1951, S. 55ff., bes. S. 68.

[51] Anton von Werner: Erlebnisse und Eindrücke. Berlin 1913, S. 521.

[52] Hans Tietze: Der Blaue Reiter. In: Die Kunst für Alle XXVII/1911–12, S. 543ff.

[53] Der Blaue Reiter. Ausstellungskatalog. München 1949, S. 12.

[54] Unveröffentlichtes Manuskript, dem Verfasser von Frau Lily Hildebrandt freundlichst zur Verfügung gestellt.

[55] Hans Jantzen: Heinrich Wölfflin. In: Geist und Gestalt. München 1959, S. 297f.

[56] Ball, Flucht, S. 148, 150, 157.

[57] Arnold Schönberg/Wassily Kandinsky, Briefe, Bilder und Dokumente einer außergewöhnlichen Begegnung. Herausgegeben von Jelena Hahl-Koch. Salzburg/Wien 1980, S. 91ff.

[58] Clemens Weiler: Jawlensky. Köln 1959, S. 119.

Dokumente zur Entstehung

Sindelsdorf 10. IX. 11

Lieber Herr Piper,

beiliegendes provisorisches Inhaltsverzeichnis der 1. Nummer unseres Almanachs soll Ihnen nur berichten, daß wir in der letzten Zeit sehr fleißig an der Sache gearbeitet haben. Als neuen Mitarbeiter haben wir Arnold Schönberg (der diesen Mittwoch nach München kommt u. uns seine Beiträge zugesichert hat), in Paris Le Fauconnier (Vicepräsident der indépendants), P. P. Girieud (der über die Primitiven von Siena schreibt), in Rußland als Vertreter der neuen Musik Kulbin u. Hartmann u.a. Haben Sie nicht Lust, Ihren Besuch in München nun einmal zur Ausführung zu bringen? wir könnten Ihnen gemütlich dann dort über das ganze Projekt berichten, an der Hand der zum größten Teil schon vorliegenden Beiträge. Soweit Werke von lebenden Künstlern angefertigt werden, trägt jeder Künstler die Kosten seiner Klischees.

Der blaue Reiter.

Heft I.

Probegekts.
Vorwort 1
Vorwort 2

Malerei:
1. Sienna — ?.?. Jiriend.
2. Konstruktion — Kandinsky.
3. Die "Wilden" Frankreichs — Le Fauconnier
4. Die "Wilden" Deutschlands — Marc.
5. Die "Wilden" Russlands — Burljuk
6. "Neue Secession" — Epstein.

Musik:
1. Einleitung — Kandinsky.
2. Neue Musik — Arnold Schönberg.
3. Freie Musik — N. Kulbin.
4. Farbe — Ton — Zahl — A. Unkowsky.
5. Korrespondenz aus Russland — Th. v. Hartmann
6. Französische Musik.
7. Die neuen russischen Harmonien
8. System Jaworsky — Gottmann.

Bühnen:

1. Monodrama — Jewreinoff
2. Über „Glückliche Hand" — A. Schönberg
3. Bühnenkomposition — Kandinsky.

Chronik:

1. Ausstellung Neues in der alten Pinakothek München — Marc
2. Jury Berichte: München, Berlin, Wien.

Reproduktionen:

1. bayrische Glasbilder.
2. Images d'Épinal (französ. Volksblätter)
3. Russische Volksbilder.
4. Lefauconnier, Picasso, Marc, Kandinsky, Epstein, Burljuk, Münter, Delaunay, Girieud, Kokoschka, Oppenheimer, Kubin, Jawlensky, Werefkin.
5. Illustrationen um 1830.

Brief von Franz Marc an Reinhard Piper vom 10. September 1911 nebst »provisorischem Inhaltsverzeichnis der 1. Nummer«

Gegen Frühjahr 1912 erscheint bei R. Piper & Co.,
München:

„Der Blaue Reiter"

Die Mitarbeiter dieser in zwangloser Folge erscheinenden Organs sind hauptsächlich Künstler (Maler, Musiker, Dichter, Bildhauer)

Aus dem Inhalt des ersten Bandes:

Roger Allard — Ueber die neue Malerei
Franz Marc — Geistige Güter
„   „ — Die „Wilden" Deutschlands
August Macke — Die Masken
David Burljuk — Die „Wilden" Rußlands
Th. v. Hartmann — Die „Anarchie" in der Musik.
Arnold Schönberg — Die Stilfrage
Kandinsky — „Der Gelbe Klang" (eine Büh-
nencomposition)
„ — Ueber Construktion in der Malerei;

usw.

Etwa 100 Reproduktionen:

Bayerische, französische, russische Volks-Kunst; primitive, römische, gotische Kunst; ägyptische Schattenfiguren, Kinderkunst usw. — Kunst des XX. Jahrhunderts: Burljuk W., Cézanne, Delaunay, Gauguin, Le Fauconnier, Girieud, Kandinsky, Kubin, Marc, Matisse, Münter, Pechstein, Picasso, Schönberg, van Gogh, Wieber etc.
Musikbeilagen. Lieder von Alban Berg, Anton von Webern.
Preis etwa 10 M.
Als Herausgeber zeichnen: Kandinsky, Franz Marc.

DER
BLAUE REITER

Die große Umwälzung;
Der Verschub der Schwerpunkte
in der Kunst, Literatur und Musik;
Die Mannigfaltigkeit der Formen:
das Constructive, Compositionelle
dieser Formen;
Die intensive Wendung zum Inneren
der Natur und der damit
verbundene Verzicht auf das
Verschönern der Äußeren der
Natur —
— das sind im Allgemeinen die
Zeichen der neuen inneren Renaissance.

Die Merkmale und Äußerungen dieser
Wendung zu zeigen,
ihren inneren Zusammenhang mit ver-
gangenen Epochen hervorzuheben,
die Äußerung der inneren Bestrebungen
in jeder innerlich klingenden Form bekannt
zu machen — Ziel, welches zu erreichen
— das ist das Ziel, welches zu erreichen
„Der Blaue Reiter" sich bemühen wird.

Handschriftlicher Text der Voranzeige von Wassily Kandinsky, Ende September 1911

ER
LAUE REITER

Inhalt der ersten Nummer.

Bitte wenden

313

Konstruktion in der Malerei . . . . Kandinsky.

Reproduktionen.

Ausgrabungen von Benin, Ägyptische Schattenspiele,
Siamesische Schattenspiele, Neger Kunst, Kinder-
zeichnungen, Gotische Kunstwerke, Bayrische
Glasmalereien u. Votivbilder, Russische Volksblätter
und Plastik u. s. w. Moderne Kunst: W. Burljuk,
R. Delaunay, Le Fauconnier, Gauguin, Giriend,
Cézanne, Kandinsky, Koboschka, Marc, Matisse,
Münter, Jawlensky, Picasso, Werefkin
u. s. w.

Handschriftliches Inhaltsverzeichnis mit dem Titel »Inhalt der ersten Nummer« aus
dem Nachlaß August Mackes, Oktober 1911

Almanach: »Der Blaue Reiter«

Es beginnt und hat schon begonnen eine große Zeit: das geistige »Erwachen«, die entstehende Neigung zum Neugewinnen des »verlorenen Gleichgewichtes«, die unvermeidliche Notwendigkeit der geistigen Pflanzungen, das Entfalten der ersten Blüten.

Wir stehen in der Thür einer der größten Epochen, die die Menschheit bis jetzt erlebt hat, der Epoche des Grossen Geistigen.

Zu Zeiten des scheinbar intensivsten Erblühens, des »grossen Sieges« des Materiellen, im eben abgeschlossenen XIX Jahrhundert bildeten sich beinah unmerklich die ersten »neuen« Elemente der geistigen Atmosphäre, welche dem Erblühen des Geistigen die nötige Nahrung geben wird und schon gibt.

Die Kunst, Literatur und selbst die »positive« Wissenschaft stehen in verschiedenen Graden der Wendung zu dieser »neuen« Zeit. Unterliegen ihr aber alle.

Das Abspiegeln der Kunstereignisse, die im direkten Zusammenhang mit dieser Wendung stehen, und der zur Beleuchtung dieser Ereignisse notwendigen Thatsachen auch auf anderen Gebieten des geistigen Lebens ist unser [erstes und] grösstes Ziel.

So findet der Leser in unseren Heften Werke, die durch den erwähnten Zusammenhang in einer *inneren* Verwandtschaft miteinander stehen, wenn auch diese Werke äusserlich fremd zu einander erscheinen. Nicht das Werk wird von uns beachtet und notiert, welches eine gewisse anerkannte, orthodoxe äußere Form besitzt (und gewöhnlich nur als solche existiert) sondern das Werk, welches ein *inneres* Leben hat, im Zusammenhang mit der Grossen Wendung stehend. Und das ist natürlich, da wir nicht das Tote, sondern das Lebende wollen. Wie das Echo der lebendigen Stimme nur eine leere Form ist, die keine bestimmte *innere Notwendigkeit* hervorgerufen hat, so entstanden zu jeder Zeit und werden bald immer mehr entstehen leere Widerhalle der in dieser inneren Notwendigkeit wurzelnden Werke. Als leere, sich herumtreibende Lügen vergiften sie die geistige Luft und führen die schwankenden Geister auf Irrwege. Durch Betrug führen sie den Geist nicht zum Leben, sondern zum Tod. [Und durch alle uns zur Verfügung stehenden Mittel wollen wir versuchen, die Leere des Betrügerischen zu entlarven. Und das ist unser zweites Ziel.]

Es ist natürlich, dass in den Fragen der Kunst als erster der Künstler selbst auch zum Wort berufen ist. So sollen die Mitarbeiter unserer Hefte hauptsächlich Künstler sein, die also jetzt eine Gelegenheit bekommen alles frei zu sagen, was sie früher verschweigen mußten. Und so fordern wir die Künstler, die innerlich unsre Ziele fühlen, auf, sich *brüderlich* an uns zu wenden. Wir erlauben uns dieses grosse Wort zu brauchen in der Ueberzeugung, dass das Offizielle in unserm Falle von selbst erlöscht.

Ebenso ist es natürlich, dass die Menschen, für welche im letzten Grunde der Künstler arbeitet und welche unter dem Namen Laien und Publikum nur selten zu Worte kommen können, eine Möglichkeit finden, ihren Kunstgefühlen und Gedanken Ausdruck zu geben. So sind wir bereit jeder ernsten Aeusserung von dieser Seite Platz zu geben. Auch kurze und freie Einsendungen werden unter der Rubrik »Stimmen« gebracht.

[In der heutigen Lage der Kunst können wir auch das Mittelglied zwischen Künstler und Publikum nicht ausser Beachtung lassen. Das ist die Kritik, in der krankhaftes liegt. Unter ernste Interpreten der Kunst haben sich dank der Entwicklung der Tagespresse nicht wenige unwürdige Elemente eingeschlichen, die durch leere Worte, statt eine Brücke zum Publikum, eine Mauer vor ihm bilden. Damit nicht nur der Künstler, sondern auch das Publikum eine Gelegenheit bekommt das verzerrte Gesicht der heutigen Kritik in starkem Lichte zu sehen, widmen wir eine bestimmte Rubrik auch dieser traurigen und schädlichen Kraft.]

Da die Werke zu unbestimmter Stunde kommen und lebendige Ereignisse nicht nach menschlicher Bestellung entstehen, so erscheinen unsre Hefte nicht an eine gewisse Zeit gebunden, sondern frei, wenn Wichtiges sich gesammelt hat.

Es sollte wohl überflüssig sein, speziell zu unterstreichen, dass in unserem Falle das Princip des Internationalen das einzig mögliche ist. Heutzutage muss aber auch das bemerkt werden: das einzelne Volk ist einer der Schöpfer des Ganzen und kann nie als Ganzes angesehen werden. Das Nationale, gleich dem Persönlichen, spiegelt sich in jedem grossen Werke von selbst ab. In der letzten Consequenz aber ist diese Färbung eine nebensächliche. Das ganze Werk, Kunst genannt, kennt keine Grenzen und Völker, sondern die Menschheit.

Redaktion:
KANDINSKY, FRANZ MARC

Maschinenschriftliches Vorwort der »Redaktion« aus dem Nachlaß August Mackes, Oktober 1911; die in eckige Klammern gesetzten Sätze sind in einer späteren Fassung gestrichen worden

Der Blaue Reiter

Die Kunst geht heute Wege, von denen unsere Väter sich nichts träumen ließen; man steht vor den neuen Werken wie im Traum und hört die apokalyptischen Reiter in den Lüften; man fühlt eine künstlerische Spannung über ganz Europa, – überall winken neue Künstler sich zu: ein Blick, ein Händedruck genügt, um sich zu verstehen!

Wir wissen, daß die Grundideen von dem, was heute gefühlt und geschaffen wird, schon vor uns bestanden haben, und weisen mit Betonung darauf hin, daß sie in ihrem *Wesen* nicht neu sind; aber die Tatsache, daß neue Formen heute an allen Enden Europas hervorsprießen wie eine schöne, ungeahnte Saat, das muß verkündet werden und auf all die Stellen muß hingewiesen werden, wo Neues entsteht.

Aus dem Bewußtsein dieses geheimen Zusammenhanges der neuen künstlerischen Produktion wuchs die Idee des »Blauen Reiters«. Er soll der Ruf werden, der die Künstler sammelt, die zur neuen Zeit gehören, und der die Ohren der Laien weckt. Die Bücher des »Blauen Reiters« werden ausschließlich von Künstlern geschaffen und geleitet. Das hiermit angekündigte erste Buch, dem andere in zwangloser Reihe folgen sollen, umfaßt die neueste malerische Bewegung in Frankreich, Deutschland und Rußland und zeigt ihre feinen Verbindungsfäden mit der Gotik und den Primitiven, mit Afrika und dem großen Orient, mit der so ausdrucksstarken ursprünglichen Volkskunst und Kinderkunst, besonders mit der modernsten musikalischen Bewegung in Europa und den neuen Bühnenideen unserer Zeit.

Text des von Franz Marc Mitte Januar 1912 verfaßten Subskriptionsprospektes

Umschlagentwurf zum »Blauen Reiter« von Wassily Kandinsky, Aquarell 280 × 205 mm (Galerie Editions Flinker, Paris)

Umschlagentwurf zum »Blauen Reiter« von Wassily Kandinsky, Aquarell 227 × 219 mm (Städtische Galerie im Lenbachhaus, München)

Umschlagentwurf zum »Blauen Reiter« von Wassily Kandinsky, Aquarell 277 × 220 mm
(Städtische Galerie im Lenbachhaus, München)

Henri Rouſſeau.

DER BLAUE REITER

Mit etwa 140 Reproduktionen. Vier handkolor. graph. Blätter.

Bayeriſche, ruſſiſche Volkskunſt; primitive, römiſche, gotiſche Kunſt; ägyptiſche Schattenfiguren, Kinderkunſt. — Kunſt des XX. Jahrhunderts: Burljuck W., Cézanne, Delaunay, Gauguin, Girieud, Kandinsky, Kokoſchka, Kubin, Le Fauconnier, Marc, Matiſſe, Münter, Picaſſo, Henri Rouſſeau, Schönberg, van Gogh uſw.

MUSIKBEILAGEN: Lieder von Alban Berg, Arnold Schönberg, A. von Webern. — Herausgeber: Kandinsky und Franz Marc.

Es erſcheinen drei Ausgaben: Allgemeine Ausgabe: geh. M 10.—, geb. M 14.—. Luxus-Ausgabe: 50 Exemplare. Enthält noch zwei von den Künſtlern ſelbſt kolorierte und handſignierte Holzſchnitte. Preis M 30.—. Muſeums-Ausgabe: 10 Exemplare: jedem Exemplar wird eine Originalarbeit eines der beteiligten Künſtler beigegeben. Preis M 100.—. Nur vom Verlag direkt zu beziehen. Proſpekte koſtenlos.

Werbezettel des Verlags, Anfang März 1912 [?]

Vorwort zur zweiten Auflage

Seit dem Erscheinen dieses Buches sind zwei Jahre vergangen. Eines unserer Ziele – in meinen Augen das Hauptziel – ist fast unerreicht geblieben. Es war, durch Beispiele, durch praktische Zusammenstellungen, durch theoretische Beweise zu zeigen, dass die Formfrage in der Kunst eine sekundäre ist, dass die Kunstfrage vorzüglich eine Inhaltsfrage ist.

In der Praxis hat der »Blaue Reiter« recht behalten: das formell Entstandene ist gestorben. Kaum zwei Jahre hat es gelebt – angeblich gelebt. Das aus der Notwendigkeit Entstandene hat sich weiter »entwickelt«. Dank der Hastigkeit unserer Zeit hat das leichter Verständliche »Schulen« geformt. So ist die hier abgespiegelte Bewegung im allgemeinen in die Breite gegangen und gleichzeitig ist sie kompakter geworden. Die im Anfang zum Durchbruch notwendigen Explosionen nehmen also ab – zugunsten eines ruhigeren und an Kraft gewinnenden breiteren, kompakteren Stromes.

Diese Ausbreitung der geistigen Bewegung, und andererseits ihre starke konzentrische Wirbelkraft, die immer neue Elemente gewaltig in sich hineinzieht, ist das Zeichen ihrer natürlichen Bestimmung und ihres sichtbaren Zieles.

Und so geht das Leben, die Wirklichkeit, den eigenen Weg. Diese donnernden Merkmale der grossen Zeit werden auf eine fast unerklärliche Weise überhört: das Publikum (zu dem viele Kunsttheoretiker zählen) fährt im Gegensatz zum geistigen Streben der Zeit fort, mehr als je das formelle Element ausschliesslich zu betrachten, zu analysieren, zu systematisieren.

So ist vielleicht die Zeit für das »Hören« und »Sehen« noch nicht reif.

Aber auch die berechtigte Hoffnung, dass die Reife kommt, wurzelt in der Notwendigkeit.

Und diese Hoffnung ist der wichtigste Grund des wiederholten Erscheinens des »Blauen Reiters«.

Gleichzeitig ist uns im Laufe dieser zwei Jahre in einzelnen Fällen die Zukunft näher gerückt. So ist Präzisierung und Wertung noch möglicher geworden. Das weitere wächst aus dem Allgemeinen organisch heraus. Dieses Wachsen, und der besonders klar gewordene Zusammenhang der einzelnen und früher scheinbar stark voneinander abgetrennten Gebiete des geistigen Lebens, ihre gegenseitige Annäherung, teilweise ihr gegenseitiges Durchdringen und die dadurch entstandenen gemischten und also reicheren Formen bilden die Notwendigkeit der weiteren Entwicklung der Ideen dieses Buches, die auf eine neue Publikation deutet.   K[andinsky]

»Alles was wird, kann auf Erden nur angefangen werden.«

Dieser Satz Däublers kann über unserem ganzen Schaffen und Wollen stehen. Eine Erfüllung wird sein, irgendwann, in einer neuen Welt, in einem anderen Dasein. Wir können auf Erden nur das Thema geben. Dies erste Buch ist der Auftakt zu einem neuen Thema. Seine sprunghafte, unruhig bewegte Art hat dem aufmerksam Lauschenden den Sinn, in dem es erdacht wurde, wohl verraten. Er fand sich in einem Quellgebiete, in dem es gleichzeitig an hundert Plätzen geheimnisvoll pocht, bald verdeckt, bald offen singt und murmelt. Wir gingen mit der Wünschelrute durch die Kunst der Zeiten und der Gegenwart. Wir zeigten nur das Lebendige, das vom Zwang der Konvention Unberührte. Allem, was in der Kunst aus sich selbst geboren wird, aus sich lebt und nicht auf Krücken der Gewohnheit geht, dem galt unsere hingebungsvolle Liebe. Wo wir einen Riss in der Kruste der Konvention sahen, da deuteten wir hin; nur dahin, da wir darunter eine Kraft erhofften, die eines Tages ans Licht kommen würde. Manche dieser Sprünge haben sich seitdem wieder geschlossen, unsere Hoffnung war umsonst; aus anderen wieder sprudelt heute schon eine lebendige

Quelle hervor. Aber dies ist nicht der einzige Sinn des Buches. Der grosse Trost der Geschichte war von jeher, dass die Natur durch allen verlebten Schutt hindurch immer neue Kräfte emporschiebt; wenn wir unsere Aufgabe nur darin sähen, auf den natürlichen Frühling einer neuen Generation zu weisen, könnten wir dies ruhig dem sicheren Gang der Zeit überlassen; es läge kein Anlass vor, den Geist einer grossen Zeitenwende mit unserem Rufen heraufzubeschwören.

Wir setzen grossen Jahrhunderten ein Nein entgegen. Wir wissen wohl, dass wir mit diesem einfachen Nein den ernsten und methodischen Gang der Wissenschaften und des triumphierenden »Fortschrittes« nicht unterbrechen werden. Wir denken auch nicht daran, dieser Entwicklung vorauszueilen, sondern gehen, zur spöttischen Verwunderung unserer Mitwelt, einen Seitenweg, der kaum ein Weg zu sein scheint, und sagen: Dies ist die Hauptstrasse der Menschheitsentwicklung. Dass uns heute die grosse Menge nicht folgen kann, wissen wir; ihr ist der Weg zu steil und unbegangen. Aber dass schon heute manche mit uns gehen wollen, das hat das Schicksal dieses ersten Buches uns gelehrt, das wir nun in gleicher Gestalt noch einmal hinausgehen lassen, während wir selbst schon losgelöst von ihm in neuer Arbeit stehen. Wann wir uns zum zweiten Buche sammeln werden, wissen wir nicht. Vielleicht erst, wenn wir uns wieder ganz allein befinden werden; wenn die Modernität aufgehört haben wird, den Urwald der neuen Ideen industrialisieren zu wollen. Ehe das zweite Buch erfüllt wird, muss vieles abgestreift und vielleicht mit Gewalt abgerissen werden, was sich in diesen Jahren an die Bewegung angeklammert hat. Wir wissen, dass alles zerstört werden kann, wenn die Anfänge einer geistigen Zucht von der Gier und Unreinheit der Menge nicht bewahrt bleiben. Wir ringen nach reinen Gedanken, nach einer Welt, in der reine Gedanken gedacht und gesagt werden können, ohne unrein zu werden. Dann nur werden wir oder Berufenere als wir das andere Antlitz des Januskopfes zeigen können, das heute noch verborgen und zeitabgewandt blickt.

Wie bewundern wir die Jünger des ersten Christentums, dass sie die Kraft zur inneren Stille fanden im tosenden Lärm jener Zeit. Um diese Stille flehen wir stündlich und streben nach ihr.

F[ranz] M[arc]

März 1914.

Vorrede zum geplanten zweiten Buch
»Der Blaue Reiter«

Noch einmal und *noch vielemale* wird hier der Versuch gemacht, den Blick des sehnsüchtigen Menschen von dem schönen und guten Schein, dem ererbten Besitz der alten Zeit hinweg zum schauerlichen, dröhnenden Sein zu wenden.

Wo die Führer der Menge nach rechts weisen, gehen wir nach links; wo sie ein Ziel zeigen, kehren wir um; wovor sie warnen, da eilen wir hin.

Die Welt ist zum Ersticken voll. Auf jeden Stein hat der Mensch ein Pfand seiner Klugheit gelegt. Jedes Wort ist gepachtet und belehnt. Was kann man thun zur Seligkeit als alles aufgeben und fliehen? als einen Strich ziehen zwischen dem Gestern und dem Heute?

In dieser That liegt die große Aufgabe unsrer Zeit; die eine, für die es sich lohnt zu leben und zu sterben. In diese That mischt sich keine Verachtung gegen die grosse Vergangenheit. Wir aber wollen Anderes; wir wollen nicht wie die lustigen Erben leben, leben von der Vergangenheit. Und wenn wir es wollten, könnten wir es nicht. Das Erbe ist aufgezehrt; mit Surrogaten macht sich die Welt gemein.

So wandern wir fort in neue Gebiete und erleben die grosse Erschütterung, dass alles noch unbetreten, ungesagt ist, undurchfurcht und unerforscht. Die Welt liegt rein vor uns; unsre Schritte zittern. Wollen wir wagen zu gehen, so muss die Nabelschnur durchschnitten werden, die uns mit der mütterlichen Vergangenheit verbindet.

Die Welt gebiert eine neue Zeit; es gibt nur eine Frage: ist heute die Zeit schon gekommen, sich von der alten Welt zu lösen? Sind wir reif für die vita nuova? Dies ist die bange Frage unsrer Tage. Es ist die Frage, die dieses Buch beherrschen wird. Was in diesem Buche steht, hat nur Beziehung zu dieser Frage und dient keiner anderen. An ihr soll seine Gestalt und sein Wert gemessen werden.

Fz. Marc

Februar 1914

Verzeichnis der Textbeiträge

Marc, Franz, * 1880 zu München, † 1916 (gefallen) vor Verdun; Maler und
Schriftsteller. Nach Aufgabe des Plans, Theologie zu studieren, bezog er 1900
die Kunstakademie seiner Vaterstadt (Wilhelm von Diez, Gabriel von Hackl).
1903 reiste er nach Paris und in die Bretagne, 1906 zum Athos und nach Salo-
niki. Ostern 1907 besuchte er Paris zum zweitenmal (Eindruck der Kunst van
Goghs!). Seit 1909 in Sindelsdorf (Oberbayern) heimisch, lernte er zu Beginn
des folgenden Jahres August Macke kennen, dem er in enger Freundschaft
verbunden blieb. In München knüpfte er Beziehungen zu dem Kreis der
»Neuen Künstlervereinigung München«. (Über die kunstpolitischen Kämpfe
und über die Ereignisse, die zur Gründung der »Redaktion ›Der Blaue Reiter‹«
mit Kandinsky führten, siehe S. 253 ff.). Auf seiner dritten Reise nach Paris im
Oktober 1912 – mit Macke – traf Marc auch mit Robert Delaunay zusammen,
dessen »Simultané« er für sein Spätwerk nutzte. 1913 war er entscheidend an
der Durchführung des von Herwarth Walden veranstalteten »Ersten Deutschen Herbstsalons« beteiligt. Im Frühjahr 1914 erwarb er in Ried bei Bene-
diktbeuern ein eigenes Haus. Am 4. März 1916 fiel er an der Westfront. Marc
ist als eine der edelsten Gestalten der deutschen Kunst in das Bewußtsein des
Volkes eingegangen. Seine Bilder erfreuen sich einer seltenen Popularität;
seine Aufzeichnungen und Briefe aus dem Feld zählen zu den Schätzen der
deutschen Literatur des 20. Jahrhunderts.
Lit.: Franz Marc: Briefe, Aufzeichnungen und Aphorismen. 2 Bände, Berlin
1920. – Alois J. Schardt: Franz Marc. Berlin 1936. – Hermann Bünemann:
Franz Marc, Zeichnungen und Aquarelle. München 1948, ³1960. – Klaus
Lankheit: Franz Marc. Herausgegeben von Maria Marc. Berlin 1950. – Klaus
Lankheit: Franz Marc. Katalog der Werke. Köln 1970. – Klaus Lankheit:
Franz Marc. Sein Leben und seine Kunst. Köln 1976. – Franz Marc: Schriften.
Herausgegeben von Klaus Lankheit. Köln 1978. – Franz Marc 1880–1916.
Ausstellungskatalog. München 1980. – Franz Marc: Briefe aus dem Feld.
Neu herausgegeben von Klaus Lankheit und Uwe Steffen (Serie Piper 233).
München/Zürich 1982, ²1986.

Siehe Anmerkung zu 1.

Siehe Anmerkung zu 1. – Bei dem Verweis auf die zwei Abbildungen gebraucht Marc die Wörter »rechts« und »links« (S. 36) vom Buch her gesehen.

Burliuk, David, * 1882 zu Charkow, † 1967 zu Southampten, N. Y.; Maler und
Schriftsteller, Bruder von Wladimir Burljuk. Besuchte die Kunstakademie in
St. Petersburg und die Kunstschule in Odessa, studierte 1903 bei Anton

Ažbè in München und 1904/05 bei Fernand Cormon in Paris. 1907 nach Rußland zurückgekehrt, wurde er einer der Führer der künstlerischen Avantgarde
seines Landes. Mitbegründer der Gruppen »Die himmelblaue Rose« (1907)
und »Der Eselsschwanz« (1911/12). Mitglied der »Neuen Künstlervereinigung München«, für deren Katalog zur II. Ausstellung er zusammen mit seinem Bruder einen Text schrieb. Verließ Rußland 1918.
Lit.: Katherine S. Dreier: Burliuk. Foreword by Duncan Philips, Selection of
Reproductions by Marcel Duchamp und Katherine S. Dreier. New York 1944.
– Color and Rhyme. Nr. 31. Hampton Bays, N. Y. 1956. – Camilla Gray: Die
russische Avantgarde der modernen Kunst 1863–1922. Köln 1963, S. 90 ff.

Die Eintragung im Tagebuch Eugène Delacroix' von 1857 lautet im Zusammenhang: »Die meisten Schriften über Kunst sind von Leuten verfaßt, die
keine Künstler sind: daher alle die falschen Begriffe und Urteile. Ich glaube,
daß jeder Mensch, der eine anständige Erziehung genossen hat, geziemend
über ein Buch sprechen kann, aber durchaus nicht über ein Werk der Malerei
oder Plastik.« Zitiert nach: Eugène Delacroix: Mein Tagebuch (Bibliothek aus-
gewählter Kunstschriftsteller II). Berlin 1903, S. 200. Diese Ausgabe befand
sich im Besitz von Marc. Kandinsky schreibt 1936 in den »Cahiers d'Art«:
»...Delacroix und Goethe bestätigten unsere Ideen durch ihre Aussprüche...«

Macke, August, *1887 zu Meschede (Sauerland), †1914 in der Champagne
(gefallen); Maler. In Bonn aufgewachsen. Nach dem Besuch der Akademie und
anschließend der Kunstgewerbeschule in Düsseldorf, wo er am Schauspielhaus Bühnenbilder schuf, fand er 1907 auf einer Reise nach Paris zu sich selbst.
Bernhard Koehler, der Onkel seiner zukünftigen Frau, hatte ihm diese Reise
ermöglicht. Nach kurzer Lehrzeit bei Lovis Corinth in Berlin fuhr er im folgenden Jahr erneut nach Paris. Seit seiner Heirat 1909 in Bonn ansässig, lernte er
im Januar 1910 Franz Marc kennen, mit dem ihn eine innige Freundschaft
verband. Durch Marc geriet er in den Münchner Kreis um den »Blauen Reiter«. 1912 – auf seiner dritten Pariser Reise – suchte er mit Marc zusammen
Robert Delaunay auf. Kurz vor Kriegsausbruch unternahm er mit Paul Klee
und Louis Moilliet die berühmt gewordene Reise nach Tunis, auf der die Reihe
der zauberhaften Aquarelle entstand. – Franz Marc hat in seinem Nachruf auf
den Frühvollendeten geschrieben: »Er hat vor uns allen der Farbe den hellsten
und reinsten Klang gegeben, so klar und hell, wie sein ganzes Wesen war.« Zu
dem Beitrag »Die Masken« siehe S. 263 f.
Lit.: Gustav Vriesen, August Macke. Stuttgart 1953, ²1957. – Elisabeth Erdmann-Macke: Erinnerung an August Macke. Stuttgart 1962. – August Macke/
Franz Marc: Briefwechsel. Herausgegeben von Wolfgang Macke (DuMont
Dokumente). Köln 1964. – August Macke, Gemälde, Aquarelle, Zeichnungen. Herausgegeben von Ernst-Gerhard Güse. Ausstellungskatalog. Münster/
Bonn/München 1986/87.

Schönberg, Arnold, *1874 zu Wien, †1951 zu Los Angeles, Calif.; einer der großen Meister der »neuen Musik«, weitgehend Autodidakt. Von 1901 bis 1903 war er in Berlin, u. a. als Lehrer am Sternschen Konservatorium; später siedelte er nach Wien über, wo er als Dirigent und Lehrer wirkte. Dort erschien 1911 sein theoretisches Hauptwerk, die »Harmonielehre«. Nach dem ersten Weltkrieg, den er teilweise als österreichischer Soldat miterlebte, zog er nach Mödling bei Wien. 1925, nachdem er die Zwölftontechnik bereits erfunden hatte, wurde er an die Preußische Akademie der Künste nach Berlin berufen und leitete dort eine Meisterklasse für Komposition. 1933 verlor er seine Stellung, mußte Deutschland verlassen und emigrierte nach den USA, wo er von 1936 bis 1944 Musik an der University of California lehrte. Schon 1908 hatte er zu malen begonnen. Kandinsky schätzte seine Bilder so sehr, daß er einen Aufsatz darüber schrieb und drei Ölstudien in die erste Ausstellung der »Redaktion ›Der Blaue Reiter‹« aufnahm. Siehe die Abbildungen S. 144 [80] und S. 158 [85].

Lit.: Arnold Schönberg. Mit Beiträgen von Alban Berg, Paris von Gütersloh, K. Horwitz, Heinrich Jalowetz, W. Kandinsky, Paul Königer, Karl Linke, Robert Neumann, Erwin Stein, Ant. v. Webern, Egon Wellesz. München 1912. – H. H. Stuckenschmidt: Arnold Schönberg. Zürich/Freiburg 1951, ²1957. – I. Rufer: Das Werk Arnold Schönbergs. Kassel/Basel/London/New York 1959. – Dipinti e Disegni di Arnold Schönberg. XXVII Maggio Fiorentino. Florenz 1964 (Ausstellungskatalog mit einer italienischen Übersetzung des Aufsatzes von Kandinsky über die Malerei Schönbergs aus dem Sammelband von 1912). – »Hommage à Schönberg«. Der Blaue Reiter und das Musikalische in der Malerei der Zeit. Nationalgalerie Berlin 1974 (Ausstellungskatalog). – Edgar Breitenbach: Arnold Schönberg and the Blaue Reiter. In: The Quarterly Journal of the Library of Congress 34/1977, Nr. 1, S. 32–38. – Ausstellung in der Galerie St. Etienne. New York 1984.

8. Gedicht (M. Kusmin) [S. 34] 76
Kusmin, Michail Alexejewitsch, * 1875 zu Jaroslawl, † 1936 zu Leningrad; russischer Dichter, Graphiker und Komponist. Kusmin war ein Gegner des Symbolismus und begründete den »Clarismus«. Er schrieb zahlreiche Prosawerke, vor allem aber kleinere Gedichtsammlungen. Einige Novellenbändchen wurden ins Deutsche übersetzt. Außer Singspielen komponierte er u. a. eine Musik zu Franz Grillparzers »Ahnfrau«. Nach 1930 wird er in der sowjetischen Literaturwissenschaft nicht mehr erwähnt.
Lit.: Brockhaus II/1924, S. 745. – Arthur Luther: Geschichte der russischen Literatur. Leipzig 1924, S. 428 ff. – Dmitrij Tschizewskij, mündliche Mitteilungen.

9. *Die Kennzeichen der Erneuerung in der Malerei* von Roger Allard [S. 35] 77
Allard, Roger Charles Félix, * 1885 zu Paris, † 1961; Dichter, Schriftsteller und Kunstkritiker. Die Übersetzung des Beitrags für den »Blauen Reiter« besorgte Franz Marc.
Lit.: Hector Talvart / Joseph Place: Bibliographie des auteurs modernes de langue française (1801–1927), Bd. I. Paris 1928, S. 58–61 (dort weitere Angaben).

Gespräch mit Friedrich Wilhelm Riemer vom 19. Mai 1807. Nach: Goethe im Gespräch. Herausgegeben von Franz Deibel und Friedrich Gundelfinger (= Friedrich Gundolf), 3., vermehrte Auflage. Leipzig 1907, S. 94. Siehe auch Kandinskys Bemerkungen: »Diese vermutlichen Regeln, die bald in der Malerei zu einem ›Generalbaß‹ führen werden, sind nichts als Erkenntnis der inneren Wirkung der einzelnen Mittel und ihrer Kombinierung.« (Über die Formfrage [hier S. 164] – »…die tiefe Verwandtschaft der Künste überhaupt und der Musik und Malerei insbesondere. Auf dieser auffallenden Verwandtschaft hat sich sicher der Gedanke Goethes konstruiert, daß die Malerei ihren Generalbaß erhalten muß. Diese prophetische Äußerung Goethes ist ein Vorgefühl der Lage, in welcher sich heute die Malerei befindet.« (Über das Geistige in der Kunst. München 1912, S. 44) – »Aus der Charakteristik unserer heutigen Harmonie folgt von selbst, daß es zu unserer Zeit weniger als je möglich ist, eine vollkommen fertige Theorie zu bauen, einen konstruierten malerischen Generalbaß zu schaffen… Aber zu behaupten, daß es in der Malerei nie feste Regeln, an Generalbaß erinnernde Prinzipien geben wird, oder daß dieselben stets nur zu Akademismus führen werden, wäre doch übereilt…« (Über das Geistige in der Kunst, S. 81) – Kandinsky schreibt 1936 in den »Cahiers d'Art«: »…Delacroix und Goethe bestätigten unsere Ideen durch ihre Aussprüche…«

Hartmann, Thomas Alexandrowitsch von, *1885 zu Choruschewka (Ukraine), †1956 zu Princeton, N. I.; Komponist, Pianist und Maler. Nach der Diplomprüfung am Moskauer Konservatorium lebte er von 1908 bis 1911 in München, von 1922 an in Paris, ab 1951 in New York. Hartmann schrieb zahlreiche Orchesterwerke, Klavier- und Vokalmusik, Bühnenmusiken und Ballette, zwei Opern und Kammermusik. Er beschritt nicht nur in der Komposition neue Wege, sondern erstrebte wie die mit ihm befreundeten Maler der »Neuen Künstlervereinigung München« und des »Blauen Reiters« eine Synthese aller Gattungen der Kunst (Musik zu den Tänzen von Alexander Sacharoff). Über seine Freundschaft mit Kandinsky hat er in einem (ungedruckten) Vortrag von 1950 in New York berichtet. Zu dem Beitrag »Über Anarchie in der Musik« siehe S. 294 f.
Lit.: Prospekt der Werke Hartmanns. New York o. J. (ca. 1950). – The Macmillan Encyclopedia of Music und Musicians. New York 1938, S. 771. – Grove's Dictionary of Music and Musicians. New York 1955, Bd. IV, S. 125. – Will Grohmann: Wassily Kandinsky. Köln 1958, passim.

Busse, Erwin Ritter von, *1885 zu Magdeburg, †1939 zu Rio de Janeiro; Sohn eines Offiziers, trat Busse nach dem Besuch von Gymnasium und Kadettenanstalt als Fähnrich in die Armee ein und wurde 1906 nach bestandenem Offiziersexamen zum Leutnant befördert. Im folgenden Jahr nahm er seinen Abschied, um in München zunächst die Rechte, dann Kunstgeschichte zu studieren. In der bayerischen Hauptstadt kam er mit den modernen Strömungen der Malerei in Berührung. Nachhaltig beeinflußte ihn Wilhelm Worringer durch die

Schrift »Abstraktion und Einfühlung« (München 1908). Im Herbst 1912 bezog Busse die Universität Bern und wurde dort zu Beginn des Jahres 1914 zum Dr. phil. promoviert. Nach Brasilien ausgewandert, widmete er sich neben einer Lehrtätigkeit in Kunstgeschichte vor allem der Malerei und schuf zahlreiche Gemälde sowie Aquarelle, die – unveröffentlicht – im Nachlaß bewahrt werden. Als Maler nannte er sich von Busse-Granand. Seine Briefe an Delaunay aus der Epoche des »Blauen Reiters« sind in dessen Pariser Nachlaß erhalten.

Lit.: Erwin Ritter von Busse. Entwicklungsgeschichte des Problems der Massendarstellungen in der italienischen Malerei. Inauguraldissertation zur Erlangung der philosophischen Doktorwürde der Universität Bern. München 1914 (darin S. 76: Lebenslauf des Verfassers). – Gedächtnisausstellung Dr. E. von Busse-Granand. Galeria Heuberger, Rio de Janeiro/São Paulo 1939 (Katalog).

13. *Eugen Kahler* (Nachruf von K.) [S. 53] 103
Kahler, Eugen von, * 1882 zu Prag, † 1911 ebenda; Maler, Graphiker und Dichter. Er studierte von 1901 bis 1905 an der Münchner Kunstakademie bei Heinrich Knirr und Franz von Stuck. Hugo von Habermann erteilte ihm Privatunterricht. 1906/07 hielt er sich in Paris auf. 1910 kehrte er nach München zurück, wo eine Ausstellung seiner Arbeiten bei Thannhauser stattfand. Der im Almanach abgedruckte Nachruf ist die schönste Würdigung von Leben und Werk des Frühverstorbenen; Kandinsky ist der Verfasser. Dieser hat auch zwei großformatige Blätter nach dem Tod des Künstlers in die Erste Ausstellung der »Redaktion ›Der Blaue Reiter‹« aufgenommen (Nr. 22 und 23).

14. *Prometheus von Skrjabin* von L. Sabanejew [S. 57] 107
Sabanejew, Leonid Leonidowitsch, * 1881 zu Moskau, † 1968 zu Antibes; russischer Komponist und Musikschriftsteller. Sabanejew studierte bei Sergei Tanejew; stilistisch kommt er aus der Schule von Modest Mussorgski. Nachdem er von 1921 an der Direktion des auf seine Anregung hin gegründeten Staatsinstituts für Musikwissenschaft angehört hatte, emigrierte er 1924 nach Frankreich; später lebte er in England und Amerika. Er komponierte u. a. zwei Klaviertrios, eine Violin- und eine Klaviersonate und weitere Klavierstücke. Zu seinen Hauptschriften zählen ein Werk über Skrjabin (Moskau 1916) und eine Geschichte der russischen Musik (Moskau 1924); in der Emigration veröffentlichte er »Modern Russian Composers« (New York 1927) und einen Band über seinen Lehrer Tanejew (Paris 1930). Brief Kandinskys an Marc vom 31. Dezember 1911: »Der Artikel von Sabanejeff über Skrjabin ist sehr intereßant und wird sicher einen großen Eindruck machen. Gewißenhaft haben Hartmann und ich gestern den ganzen Abend an der Übersetzung gearbeitet. Heute hoffe ich ganz fertig damit [zu] werden.«
Lit.: Riemann: Musiklexikon, Bd. II, 1961, S. 560. – Oscar Thompson: The International Cyclopedia of Music and Musicians. New York ⁴1946, S. 1860.

15. *Die freie Musik* von N. Kulbin [S. 69] 125
Kulbin, Nikolai Iwanowitsch, * 1868 und † 1941 zu St. Petersburg (Leningrad); Doktor der Medizin, Arzt und Professor an der Petersburger Medizinischen Militärakademie mit dem Titel »General«. Auch Graphiker und Mäzen

der avantgardistischen Künstler. Veröffentlichte 1910 eine Schrift »Atelier der Impressionisten.« U. a. Freund von David Burliuk.
Lit.: Color and Rhyme. Nr. 31, S. 20. – Katherine S. Dreier: Burliuk... New York 1944, S. 52 f., 61. – Camilla Gray: Die russische Avantgarde der modernen Kunst 1863–1922. Köln 1963, S. 93, 271 f. – Dmitrij Tschizewskij, mündliche Mitteilungen.

Kandinsky, Wassily, * 1866 zu Moskau, † 1944 zu Neuilly-sur-Seine; einer der bedeutendsten Künstler der Moderne, nach seiner Selbstcharakteristik »Maler, Graphiker und Schriftsteller –, der erste Maler, der die Malerei auf den Boden der rein-malerischen Ausdrucksmittel stellte und das Gegenständliche im Bild strich« (»Das Kunstblatt« 1919, S. 172). Kandinsky wendete sich erst nach dem Studium der Rechtswissenschaft und Nationalökonomie und nach einem Ruf als Dozent an die Universität Dorpat der Malerei zu. 1896 nach München gekommen, besuchte er zunächst die Kunstschule von Anton Ažbè, später die Akademie (Franz von Stuck). Schon 1901 wurde er Präsident der Künstlergruppe »Phalanx«. Nach wiederholten Reisen – Frankreich, Tunesien, Italien – lebte er ab 1908 abwechselnd in München und in Murnau am Staffelsee. 1909 wurde er Mitbegründer der »Neuen Künstlervereinigung München«. Über diese Periode und die Zeit des »Blauen Reiters« siehe unseren Text. 1914 kehrte Kandinsky auf dem Umweg über die Schweiz und Schweden in seine Heimat zurück. Nach der Revolution zunächst in mehreren führenden künstlerischen Stellungen tätig, emigrierte er 1921 nach Berlin. Über zehn Jahre lang wirkte er dann am Bauhaus in Weimar und Dessau. Ende 1933 zog er nach Frankreich.
Lit.: Kandinsky: Über das Geistige in der Kunst. München 1912 (mehrere Auflagen und Übersetzungen). – Kandinsky: Punkt und Linie zu Fläche (Bauhausbücher 9). München 1926 (mehrere Auflagen und Übersetzungen). – Will Grohmann: Wassily Kandinsky. Leben und Werk. Köln 1958 (die grundlegende Monographie). – Wassily Kandinsky 1866–1944. Gesamtausstellung Kunsthalle Basel 1963, Katalog (Ausstellung auch in New York, Paris und Den Haag gezeigt). – Sixten Ringbom: The Sounding Cosmos. A Study in the Spiritualism of Kandinsky and the Genesis of abstract Painting (= Acta Academiae Aboensis...). Åbo 1970. – Hans K. Roethel / Jean Benjamin: Kandinsky. Werkverzeichnis der Ölgemälde, 2 Bände. München 1982/83.

Rosanow, Wassili Wassiljewitsch, * 1856 zu Wetluga, † 1919 bei Moskau; bekannter russischer Schriftsteller, Verfasser von zahlreichen vorwiegend religionsphilosophischen Büchern mit stark sexualwissenschaftlicher Färbung. Wurde nachhaltig von Fjodor Dostojewski beeinflußt.
Lit.: Arthur Luther: Geschichte der russischen Literatur. Leipzig 1924, S. 421. – V. V. Zenkovskij: Geschichte der russischen Philosophie (in russischer Sprache). Paris 1948, Bd. I, S. 457 ff. (auch englisch und französisch). – Wassilij Rosanow: Solitaria. Ausgewählte Schriften. Deutsche Übertragung und einleitender Essay über Rosanow von Heinrich Stammler. Hamburg 1963. – Dmitrij Tschizewskij, mündliche Mitteilungen.

Verzeichnis der Abbildungen

14. Illustration aus Grimms Märchen [S. 8] 34
Die Angabe Franz Marcs – siehe auch S. 36 [10] des Textes – ist irrig. Eine
Ausgabe der Grimmschen Märchen von 1832 gibt es nicht. Auch in keiner
anderen Ausgabe findet sich diese Illustration. Siehe: Anmerkungen zu den
Kinder- und Hausmärchen der Brüder Grimm. Neu bearbeitet von Johannes
Bolte und Georg Polívka. Band IV. Leipzig 1930, S. 473 ff. (freundliche Auskunft von Arthur Henkel). Der Titel »Reinhald das Wunderkind« geht eindeu-
tig auf eine Musäus-Tradition zurück. Aber die entsprechende Darstellung in
der – erst 1842 erschienenen – 1. Auflage von Musäus' Volksmärchen, gezeich-
net von Adolf Schrödter, ist mit unserem Bild nicht identisch. Dieses stammt
vermutlich aus einem Almanach, in dem das Grimmsche Märchen »Die drei
Schwestern« abgedruckt ist (freundliche Auskunft von Kurt Ranke). Zu den
Almanach-Illustrationen vgl.: Maria Gräfin Lanckorońska / Arthur Rümann:
Geschichte der deutschen Taschenbücher und Almanache aus der klassisch-
romantischen Zeit. München 1954.

15. Wassily Kandinsky – »Lyrisches« [S. 9] 35
1911; Öl auf Leinwand 94 × 130 cm; signiert unten rechts: »Kandinsky«. –
Rotterdam, Museum Boymans-van Beuningen; Photo: Museum Boymans-van
Beuningen, Rotterdam.
Lit.: Roethel / Benjamin Nr. 377.

16. Heinrich Campendonk – »Springendes Pferd« [S. 10] 36
1911; Öl auf Leinwand 85 × 65 cm. – Saarbrücken, Saarland-Museum; Photo:
Reichmann, Saarbrücken.
Lit.: Kat. d. Ersten Ausstellung der »Redaktion ›Der Blaue Reiter‹«, Nr. 14
(Abb.). – Andrea Firmenich: Heinrich Campendonk. Leben und expressioni-
stisches Werk. Recklinghausen 1989, Nr. 115.

17. Bayerisches Spiegelbild [S. 11] 37
Geburt Christi; Raymundsreut, Bayerischer Wald, nach 1800; Spiegelbild
25,5 × 16 cm. – Oberammergau, Heimatmuseum der Gemeinde (ehem. Slg.
Krötz / Murnau – Slg. Kapfer / Murnau); Photo: Robert Braunmüller, München.

18. Bayerisches Glasbild [S. 12] 39
Der Winter, aus einer Folge der Jahreszeiten; Oberbayern (Seehausen),
1. Hälfte des 19. Jahrhunderts; Hinterglasmalerei 24 × 17 cm. – Oberammer-
gau, Heimatmuseum der Gemeinde (ehem. Slg. Krötz / Murnau – Slg. Kapfer,
Murnau); Photo: Robert Braunmüller, München. – Die Beschriftung unten:
»Der Winter«, ist bei der Reproduktion im Almanach weggefallen.
Lit.: Bern 1986, Nr. 121.

19. Mosaik [nach S. 12] 40
Die Erscheinung des Körpers des heiligen Markus; venezianisch-byzantinisch,
13. Jahrhundert. – Venedig, Basilica di S. Marco, rechtes Seitenschiff; Photo:
Alinari, Florenz.

(nach Rezension von Fritz Arens in: Das Münster 20/1967, S. 321, vielleicht eher als Prophet zu deuten).

Tanzmaske, den Kopf eines Tapiers darstellend; Rohrgeflecht mit Überzug aus Rindenbast, mit weißem Farbüberzug und darauf schwarz, braun und gelb bemalt; Südamerika, Juri-Taboca-Indianer. Höhe 51 cm. – München, Staatliches Museum für Völkerkunde, Inv.-Nr. 372 (Spix und Martius); Photo: Staatliches Museum für Völkerkunde, München.
Lit.: Indianer vom Amazonas. Ausstellung des Staatlichen Museums für Völkerkunde. München 1960. Katalog Nr. 92, Farbtafel 9.

Ahnenfigur; Holz (wahrscheinlich Toomiroholz), Höhe 32 cm. – München, Staatliches Museum für Völkerkunde, Inv.-Nr. 193; Photo: Staatliches Museum für Völkerkunde, München.
Lit.: München 1982, Nr. 428.

Beidseitig beschnitztes Holzbrett 174 × 33,5 cm; die Bedeutung der Schnitzereien ist unbekannt. – München, Staatliches Museum für Völkerkunde, Inv.-Nr. 93.13; Photo: Staatliches Museum für Völkerkunde, München.
Lit.: München 1982, Nr. 423.

Figur des Gottes Xipe Totec, »Unseres Herrn, des Geschundenen«. In der linken Hand Rundschild, in der rechten der zauberkräftige Rasselstab. In Form hergestellt, hinten flach. Huexotla, aztekisch. Gelblich-grauer Ton, Höhe 16,2 cm. – München, Staatliches Museum für Völkerkunde, Inv.-Nr. 10.1713; Photo: Staatliches Museum für Völkerkunde, München.
Lit.: Alt-Amerika. Präkolumbische Kunst aus Mexiko, den Maya-Ländern, dem südlichen Mittelamerika, Kolumbien und Ecuador. Katalog zur Ausstellung des Staatlichen Museums für Völkerkunde, herausgegeben von Andreas Lommel, bearbeitet von Otto Zerries. München 1964, Nr. 36. – München 1982, Nr. 422.

Holz, Höhe 62 cm. – München, Staatliches Museum für Völkerkunde, Inv.-Nr. 02.230 (Leihgabe in Kochel, Franz Marc Museum); Photo: Staatliches Museum für Völkerkunde, München.
Lit.: München 1982, Nr. 427.

Tanzschurz aus Bergziegenwolle, in eigentümlicher Technik gewebt und auf einer Unterlage von Leder befestigt, unten zu Fransen zerschnitten ist. Schwarz-gelb-weißes Muster in der typischen Augenornamentik der nordwestamerikanischen Indianer, vermutlich Stamm der Tlinkit (Chilkat). Länge 92 cm. – München, Staatliches Museum für Völkerkunde, Sammlung Leuchtenberg Nr. 779; Photo: Staatliches Museum für Völkerkunde, München.

Lit.: Donnervogel und Raubwal. Ausstellungskatalog Hamburg 1979. – München 1982, Nr. 425.

Lit.: Christopher Gray: Sculpture and Ceramics of Paul Gauguin. Baltimore 1963, Nr. 107.

Gorgo als Herrin der Tiere; Bronze 42,5 × 59,5 cm; etruskisch-archaisch, Gegend von Perugia, 6. Jahrhundert v. Chr. – München, Glyptothek, Antikensammlungen; Photo: Antikensammlungen, München.
Lit.: Kunst und Leben der Etrusker. Ausstellungskatalog. Köln 1956, Nr. 253. – Köllner 1984, S. 38 ff. – Bern 1986, Nr. 146.

Theater (klein), Berlin 1910; Aquarell, Maße unbekannt. – Verbleib nach Mitteilung der Stiftung Emil und Ada Nolde unbekannt.
Lit.: Kat. d. Zweiten Ausstellung der »Redaktion ›Der Blaue Reiter‹«, Nr. 211–214 (Abb.).

Offensichtlich japanischer im Duktus als 27 und 105. – Herkunft fraglich.

Badende III, 1911; Farbholzschnitt 33 × 40 cm; handkolorierte Drucke in Rot, Grün, Gelb und Blau; 15 Drucke auf Japan, bei Fritz Gurlitt, Berlin.
Lit.: Kat. d. Zweiten Ausstellung der »Redaktion ›Der Blaue Reiter‹«, Nr. 215 (Abb.). – Paul Fechter: Das graphische Werk Max Pechsteins. Berlin 1921, Nr. 54. – Günter Krüger: Das druckgraphische Werk Max Pechsteins. Tökendorf 1988.

November/Dezember 1910; Öl auf Leinwand 191 × 123 cm; signiert unten links: »Le Fauconnier«. – Den Haag, Gemeentemuseum; Photo Marburg.
Lit.: David Cottington: Henri Le Fauconnier's »L'Abondance« and its literary background. In: Apollo, Februar 1977, S. 129 f.

Ziegelei, 1911; Kohle 48 × 62 cm; signiert und datiert. – Soest, Wilhelm-Morgner-Haus.
Lit.: Kat. d. Zweiten Ausstellung der »Redaktion ›Der Blaue Reiter‹«, Nr. 157 oder 158 (Abb.). – Bern 1986, Nr. 236.

Keine Lithographie, sondern nach Meinung von Florian Karsch, dem Bearbeiter des Werkverzeichnisses der Graphik Muellers, eine mit Kreide übergangene Tuschpinselzeichnung, um 1911; Maße und Verbleib unbekannt.
Lit.: Kat. d. Zweiten Ausstellung der »Redaktion ›Der Blaue Reiter‹«, Nr. 169–180 (Abb.).

Murnau; die zu mehreren auf Holztafeln gemalten Bilder sind noch in der

Pfarrkirche St. Nikolaus zu Murnau vorhanden (vgl. Nr. 88–91). In der Originalausgabe ohne Schriftleiste abgebildet.
Lit.: Bern 1986, Nr. 122f.

78–81. »Das Sitzen« – Vier Kinderzeichnungen [S. 74] 134/135
Die linke Zeichnung datiert: »15. Mai 1908«, die rechte: »12. Mai 1908«. Von
derselben Hand – Lydia Wieber – wie 36.
Lit.: Köllner 1984, S. 114.

82. Henri Rousseau – »Portrait de Mlle M.« [S. 76] 138
1896; Öl auf Leinwand 160 × 105 cm. – Paris, Donation Picasso; Photo: André
Rosselet, Auvernier, Schweiz.
Lit.: Jean Bouret: Henri Rousseau. München 1963, Nr. 94. – Editions de la
Réunion des Musées Nationaux. Donation Picasso. Paris 1978, Kat. 33.

83. Kinderzeichnungen [S. 77] 139
»Von Erwachsenen für einen Fries zusammengestellt.« Siehe Anmerkung zu
9–10.

84. Bayerisches Glasbild [nach S. 78] 141
Ausgießung des Heiligen Geistes, Oberbayern (Murnau-Seehausen) 1. Hälfte
des 19. Jahrhunderts; Hinterglasmalerei 23,5 × 17,5 cm. Die Beschriftung unten »Jungfrau den Heiligen Geist endpf. (= empfangen) assgess. (= ausgegossen)« ist bei der Reproduktion im Almanach weggefallen. – Oberammergau,
Heimatmuseum der Gemeinde (ehem. Slg. Krötz/Murnau – Slg. Kapfer/
Murnau); Photo: Robert Braunmüller, München.
Lit.: Bern 1986, Nr. 120.

85. Arnold Schönberg – »Vision« [S. 80] 144
Washington, The Library of Congress; aus einer größeren Serie von »Visionen«. Photo: The Library of Congress, Washington.
Lit.: Kat. d. Ersten Ausstellung der »Redaktion ›Der Blaue Reiter‹«, Nr. 42
(Abb.). – Edgar Breitenbach: Arnold Schönberg and the Blaue Reiter. In: The
Quarterly Journal of Library of Congress, 34/1977, Nr. 1, S. 32–38.

86. Henri Rousseau – »La basse-cour, paysage aux poubles blanches« [S. 81] . . 146
Um 1908; Öl auf Leinwand 24 × 33 cm; signiert unten links: »Henri Rousseau«. – Paris, Musée National d'Art Moderne; Photo: Galerie Maeght, Paris.
Lit.: Kat. d. Ersten Ausstellung der »Redaktion ›Der Blaue Reiter‹«, Nr. 1. –
Jean Bouret: Henri Rousseau. München 1963, Nr. 203.

87. Henri Matisse – »La musique« [nach S. 82] 149
1910; Öl 260 × 390 cm. – Moskau, Museum für westliche Kunst (aus Slg.
Tschukin); Photo: APN, Moskau.
Lit.: Alfred H. Barr: Matisse. His Art and his Public. New York 1951, S. 364.
– Gaston Diehl: Henri Rousseau. Paris 1954, T. 49.

88. Bayerisches Votivbild (Kirche in Murnau) [S. 82] 150
Zu 88–91 siehe Anmerkung zu 77.

Sammelalbum. Wohl nicht französisch, sondern aus der Offizin J. Scholz in Mainz.

c) Vignetten

Den Entwurf zu der Anzeige auf Seite 242 zeichnete Franz Marc.

Verzeichnis der Kompositionen

Siehe Anmerkung zu Textbeitrag 7.

Berg, Alban, * 1885 zu Wien, † 1935 ebenda; Komponist. Neben Anton von
Webern der bedeutendste Schüler Arnold Schönbergs und einer der Haupt-
vertreter des musikalischen Expressionismus. Sein bekanntestes Werk ist die
Oper »Wozzeck« nach dem Dramenfragment von Georg Büchner.
Lit.: Willi Reich: Alban Berg (mit Schriften Bergs und Beiträgen von Theodor
Adorno und Ernst Krenek). Wien 1937. – Hans Ferdinand Redlich: Alban
Berg. Wien / Zürich / London 1957.

Webern, Anton von, * 1883 zu Wien, † 1945 zu Mittersill; Komponist. Schüler
Arnold Schönbergs und zugleich derjenige Künstler, dessen Werk seit Jahr-
zehnten im Mittelpunkt des Interesses der jungen Generation steht (serielle
Musik).
Lit.: Anton Webern: Dokumente – Bekenntnisse (Die Reihe. Information über
serielle Musik, Nr. 2). Wien 1955. – Anton Webern: Wege zur neuen Musik.
Herausgegeben von Willi Reich. Wien 1960. – Walter Kolneder: Anton We-
bern (= Kontrapunkte 5). Rodenkirchen 1961. – Riemann: Musiklexikon
Bd. II, 1961, S. 898 f. – H. H. Stuckenschmidt: »Ihr tratet zu dem herde«.
Ein Stefan-George-Lied von Anton Webern. In: Neue Zürcher Zeitung vom
26. / 27. September 1981.

Bibliographie

Allgemeine Werke über die Kunst des 20. Jahrhunderts, die fast alle auch Abschnitte über den Blauen Reiter enthalten, sowie Monographien der einzelnen beteiligten Künstler, die ebenfalls auf die Bewegung des Blauen Reiters eingehen, sind nicht aufgenommen worden. Die Ordnung ist chronologisch. Besonders wichtige Titel sind durch einen Stern (*) gekennzeichnet.

* Die Erste Ausstellung der Redaktion Der Blaue Reiter. Katalog. München 1911/12

Hans Tietze: Der Blaue Reiter. In: Die Kunst für alle, 27, 1911/12, S. 543–547 (wiederabgedruckt in: Hans Tietze: Lebendige Kunstwissenschaft. Zur Krise der Kunst und der Kunstgeschichte. Wien 1925, S. 93–100)

Kandinsky: Über das Geistige in der Kunst. Insbesondere in der Malerei. München 1912 (seither mehrere Auflagen und Übersetzungen)

* Die Zweite Ausstellung der Redaktion Der Blaue Reiter. Schwarz-Weiß. Katalog. München 1912

Der Sturm. Erste Ausstellung Der Blaue Reiter. Katalog. Berlin 1912

Die junge Kunst in München II. In: Kölnische Zeitung, Nr. 377, 4. April 1912

W. Schäfer: Die junge und die jüngste Malerei. (Glossen zur Sonderbundausstellung in Köln) III: Der Blaue Reiter. In: Rheinlande, 22, 1912, S. 355–357

Kandinsky: Rückblicke. In: Kandinsky 1901 1913. Herausgegeben vom Verlag Der Sturm, Berlin 1913, S. 1–29, besonders S. 27f. (Neuausgabe mit einer Einführung von Ludwig Grote. Baden-Baden 1955)

* Der Sturm. Der Blaue Reiter. Ausstellungskatalog. 3. Tausend (Helsingfors, Trondheim, Göteborg) 1914

Ludwig Thormaehlen: Dem Andenken Bernhard Koehlers. In: Das Kunstblatt, 11, 1929, S. 184f.

Wassily Kandinsky: »Der Blaue Reiter« (Rückblick). In: Das Kunstblatt, 14, 1930, S. 57–60

Wassily Kandinsky: Franz Marc. In: Cahiers d'Art, 8–10, 1936, S. 273–275 (wiederabgedruckt in: Wassily Kandinsky: Essays über Kunst und Künstler. Herausgegeben und kommentiert von Max Bill. Stuttgart 1955, S. 185–191)

Reinhard Piper: Vormittag. Erinnerungen eines Verlegers. München 1947, S. 429–436 (Neuausgabe: Mein Leben als Verleger. Vormittag – Nachmittag. München 1964, S. 294–299)

* München und die Kunst des 20. Jahrhunderts 1908–1914. Der Blaue Reiter. Ausstellungskatalog München, Haus der Kunst 1949. Darin: Einführung von Ludwig Grote, S. 5–17

Klaus Lankheit: Zur Geschichte des Blauen Reiters. In: Der Cicerone 1949, Heft 3, S. 110–114

Ludwig Grote: Der Blaue Reiter. In: Die Kunst, 48, 1950, S. 4–11

Der Blaue Reiter 1908 – 1914. Wegbereiter und Zeitgenossen. Ausstellungskatalog Kunsthalle. Basel 1950.

Kenneth Lindsay: The genesis and meaning of the cover design for the first Blaue Reiter exhibition catalogue. In: The Art Bulletin, 35, 1953, S. 47–52

Ludwig Grote: Les peintres du Blaue Reiter. In: Art d'Aujourd'hui, 4, 1953, S. 2f.

Der Blaue Reiter. Zeichnungen und Graphik. Einleitung von Hans Maria Wingler. Feldafing 1954

Nell Walden/Lothar Schreyer: Der Sturm. Ein Erinnerungsbuch an Herwarth Walden und die Künstler aus dem Sturmkreis. Baden-Baden 1954, S. 10–12, 36, 257–259

Der Blaue Reiter. Ausstellungskatalog. Galerie Curt Valentin. New York 1954/55

Artists of the Blaue Reiter. Ausstellungskatalog Busch-Reisinger Museum Harvard University. Cambridge, Mass. 1955

Will Grohmann: Le Cavalier Bleu. In: L'Œil, 9, 1955, S. 4–13

Will Grohmann: The Blue Rider. In: Georges und Rosamund Bernier: The Selective Eye, New York 1955

John Anthony Thwaites: The Blaue Reiter, a milestone in Europe. In: The Art Quarterly, 13, 1956, S. 12–20

Robert Delaunay: Du Cubisme à l'Art Abstrait. Documents inédits publiés par Pierre Francastel et suivis d'un catalogue de l'œuvre de R. Delaunay par Guy Habasque. Paris 1957 (zitiert als: Habasque 1957)

Johannes Eichner: Kandinsky und Gabriele Münter. Von Ursprüngen moderner Kunst. München 1957, S. 147–154

*München 1869–1958. Aufbruch zur Modernen Kunst. Ausstellungskatalog Haus der Kunst. München 1958. Darin: Vom Jugendstil zum Blauen Reiter, S. 149–300. Der Weg zum Blauen Reiter, S. 301–344

Lothar-Günther Buchheim: Der Blaue Reiter und die »Neue Künstlervereinigung München«. Feldafing 1959

Franz Marc im Urteil seiner Zeit. Einführung und erläuternde Texte von Klaus Lankheit. Köln 1960, München ³1989 (= Serie Piper 986)

The Blue Rider Group. Ausstellungskatalog The Edinburgh Festival Society/The Tate Gallery. London 1960

Der Blaue Reiter und sein Kreis. Ausstellungskatalog Österreichische Galerie Wien/Neue Galerie der Stadt Linz. 1961

Der Blaue Reiter und sein Kreis. Ausstellungskatalog Kunstverein. Winterthur 1961

Elisabeth Erdmann-Macke: Erinnerung an August Macke. Stuttgart 1962, S. 172–201

Gérald Gassiot-Talabot: The Blaue Reiter situation. In: Cimaise, 9, 1962, S. 12f.

*Vor 50 Jahren. Neue Künstlervereinigung/Der Blaue Reiter. Ausstellungskatalog Galerie Stangl. München 1962. Darin: Klaus Lankheit: Zum Geleit

Klaus Lankheit: Hinterglasmalerei im XX. Jahrhundert. In: Hinterglasmalerei im XX. Jahrhundert. Ausstellungskatalog Gutenberg-Museum. Mainz 1962

Klaus Lankheit: Il y a cinquante ans Kandinsky et Marc ont inventé le »Cavalier Bleu«. In: Arts, 1962, S. 10

Pierre Volboudt: Le »Cavalier Bleu« et son destin. In: Derrière le Miroir, Okt./Nov. 1962, S. 1–8

Hans Heinz Stuckenschmidt: Kandinsky et Schönberg. In: Derrière le Miroir, Okt./Nov. 1962, S. 13f.

Will Grohmann: Cinquante ans après. In: Derrière le Miroir, Okt./Nov. 1962, S. 19–30

Der Blaue Reiter in der Städtischen Galerie im Lenbachhaus. Bestandskatalog. München 1963, ²1966

Klaus Lankheit: Bibel-Illustrationen des Blauen Reiters. In: Anzeiger des Germanischen Nationalmuseums (Ludwig Grote zum 70. Geburtstag). Nürnberg 1963, S. 199–207

Eberhard Roters: Wassily Kandinsky und die Gestalt des Blauen Reiters. In: Jahrbuch der Berliner Museen, 5, 1963, S. 201–226

Der Blaue Reiter. Ausstellungskatalog Leonard Hutton Galleries. New York 1963

*August Macke/Franz Marc: Briefwechsel. Herausgegeben von Wolfgang Macke. Köln 1964

Bernhard-Koehler-Stiftung 1965. Städtische Galerie im Lenbachhaus, Katalog. München 1965

Olga Neigemont: Der Blaue Reiter. München/Köln/Mailand 1966

Hideho Nishida: Genèse du Cavalier Bleu. In: XXe Siècle, 27, 1966, S. 18–24

Peter Selz: The influence of Cubism and Orphism on the »Blue Rider«. In: Festschrift Ulrich Middeldorf. Berlin 1968, S. 582–590

Klaus Lankheit: Franz Marc Katalog der Werke. Köln 1970 (zitiert als: Lankheit)

Hans Konrad Roethel: Kandinsky. Das graphische Werk. Köln 1970, S. 438–442 (Neue Künstlervereinigung – München), 450f. (Almanach »Der Blaue Reiter«) (zitiert als: Roethel)

Luigi Carluccio/Luigi Mallé: Il Cavaliere Azzurro/Der Blaue Reiter. Ausstellungskatalog. Turin 1971

Der Blaue Reiter. Sonderausstellung der Städtischen Galerie München, anläßlich der Wochen »München in Wien«. Katalog. 1971

Rosel Gollek: Der Blaue Reiter im Lenbachhaus München. Katalog der Sammlung in der Städtischen Galerie (= Materialien zur Kunst des 19. Jahrhunderts, 12). München 1974

»Hommage à Schönberg«. Der Blaue Reiter und das Musikalische in der Malerei der Zeit. Ausstellungskatalog Nationalgalerie. Berlin 1974

Wassily Kandinsky: Regards sur le passé et autres textes 1912–1922. Edition établie et présentée par Jean-Paul Bouillon (= Collection Savoir). Paris 1974

*Der Blaue Reiter und sein Kreis. Ausstellungskatalog Beethovenhaus. Villingen-Schwenningen 1975. Darin: Klaus Lankheit: Der Blaue Reiter – Geschichte und Bedeutung, S. 9–11

Robert Delaunay. Ausstellungskatalog Staatliche Kunsthalle. Baden-Baden 1976. Darin: Briefwechsel von Robert Delaunay mit Wassily Kandinsky u. a. Herausgegeben von Bernard Dorival, S. 49–80

Anna Cavallaro: Il Cavaliere Azzurro e l'Orfismo (= Collana L'Arte nella Società). Mailand 1976

Jahač Plavi/Der Blaue Reiter. Ausstellungskatalog Muzej Savremene Umetnosti. Belgrad 1976. Darin: Wolf-Dieter Dube: Der Blaue Reiter und sein Kreis, S. 9–59

Paul Vogt: Der Blaue Reiter (= DuMont Kunst-Taschenbücher, 47). Köln 1977

Der Blaue Reiter und sein Kreis. Ausstellungskatalog Leonard Hutton Galleries. New York 1977

Münchner Malerei 1892–1914 von der Sezession zum Blauen Reiter. Ausstellungskatalog Museum für moderne Kunst. Hokkaido 1977

Edgar Breitenbach: Arnold Schönberg and the Blaue Reiter. In: The Quarterly Journal of the Library of Congress, 34, 1977, S. 32–38

Franz Marc: Schriften. Herausgegeben von Klaus Lankheit. Köln 1978, S. 22–25, 141–154, 221–223

Paul Vogt: Der Blaue Reiter. In: Paris–Berlin 1900–1933. Ausstellungskatalog. Deutsche Ausgabe. München 1979, S. 78–88

Klaus Lankheit: Franz Marc and the Blue Rider. In: Franz Marc. Ausstellungskatalog. Berkeley, Calif. 1979/80

Franz Marc 1880–1916. Ausstellungskatalog. Konzeption und Katalog Rosel Gollek. München 1980

Arnold Schönberg/Wassily Kandinsky: Briefe, Bilder und Dokumente einer außergewöhnlichen Begegnung. Herausgegeben von Jelena Hahl-Koch. Salzburg/Wien 1980

*Der Blaue Reiter im Lenbachhaus. Katalog der Sammlung in der Städtischen Galerie. Bearbeitet von Rosel Gollek. München ²1982

Kandinsky in Munich 1896–1914. Ausstellungskatalog. New York 1982

*Kandinsky und München. Begegnungen und Wandlungen 1896–1914. Herausgegeben von Armin Zweite. Ausstellungskatalog. München 1982 (zitiert als: München 1982)

Franz Marc: Briefe aus dem Feld. Neu herausgegeben von Klaus Lankheit und Uwe Steffen. München/Zürich 1982, ²1986 (= Serie Piper 233)

Hans Konrad Roethel/Jean K. Benjamin: Kandinsky. Werkverzeichnis der Ölgemälde. Band I 1900–1915. München 1982 (zitiert als: Roethel/Benjamin)

*Wassily Kandinsky/Franz Marc: Briefwechsel. Mit Briefen von und an Gabriele Münter und Maria Marc. Herausgegeben, eingeleitet und kommentiert von Klaus Lankheit. München/Zürich 1983

Sigrid Köllner: Der Blaue Reiter und die »Vergleichende Kunstgeschichte«. Phil. Diss. Univ. Karlsruhe 1984 (zitiert als: Köllner 1984)

*Collections du Musée National d'Art Moderne: Kandinsky. Œuvres de Vassily Kandinsky (1866–1944). Catalogue établi par Christian Derouet et Jessica Boissel. Paris 1984

Delaunay und Deutschland. Herausgegeben von Klaus-Peter Schuster (zugleich Ausstellungskatalog München). Köln 1985. Darin S. 481 ff.: Karl-Heinz Meißner, Delaunay-Dokumente

*Der Blaue Reiter. Ausstellungskatalog. Konzeption und Katalog Hans Christoph von Tavel. Bern 1986, 2., rev. Aufl.

Der Blaue Reiter. Dokumente einer geistigen Bewegung. Herausgegeben und mit einem Nachwort versehen von Andreas Hüneke. Leipzig 1986

Der Blaue Reiter. Verzeichnis der Bestände des Sprengel Museum Hannover. Hannover 1989

Klaus Lankheit: Führer durch das Franz Marc Museum Kochel am See. München 1986, ³1989

Magdalena M. Moeller: Der Blaue Reiter. Köln 1987

Mario-Andreas von Lüttichau: Der Blaue Reiter. In: Stationen der Moderne. Ausstellungskatalog. Berlin 1988, S. 109 ff.

Silvia Schmidt: Bernhard Koehler – ein Mäzen und Sammler August Mackes und der Künstler des »Blauen Reiters«. In: Zeitschrift des Deutschen Vereins für Kunstwissenschaft 42, 1988, Heft 3, S. 76 ff. (zitiert als: Schmidt 1988)

Personenregister

Zusammengestellt von Uwe Steffen

Kursiv gesetzte Seitenzahlen verweisen auf Abbildungen,
halbfette auf biographische Daten

Alexejew (Alekseev), Konstantin Serge-
jewitsch → Stanislawski, Konstantin
Sergejewitsch
Allard, Roger Charles Félix (1885–1961)
77, 267, 288, 297, 311, 313, 330
Andreevskaja, Nina → Kandinsky, Nina
**Andrejew (Andreev), Leonid Nikolaje-
witsch** (1871–1919) 283
Andrejewskaja (Andreevskaja), Nina
→ Kandinsky, Nina
Archipenko, Alexander (eigtl. Alexandr
Porfirjewitsch A.; 1887–1964) 86
Arens, Fritz (* 1912) 339
Aristokles → Platon
Arp, Hans (auch Jean A.; 1887–1966)
191, 299, 348, 351
Auburtin, Victor (1870–1928) 253
Ažbè, Anton (1862–1905) 329, 333

Baldung, Hans (gen. Grien; 1484/85–
1545) *90*, 342
Ball, Hugo (1886–1927) 254, 282–284,
287, 299
Barzun, Henri-Martin (1881–nach
1956) 313
Beardsley, Aubrey Vincent (1872–1898)
56
**Bechtejew (Behteev), Wladimir Georgije-
witsch** (1878–1971) 282
Bely, Andrei (eigtl. Boris Nikolajewitsch
Bugajew; 1880–1934) 41
Benua, Alexandr Nikolajewitsch (auch
Alexandre Benois; 1870–1960) 44, 47
Berg, Alban Maria Johannes (1885–
1935) 238, 267, 311, 322, **352**
Bergson, Henri Louis (1859–1941) 286
Bjarme, Brynjolf → Ibsen, Henrik
Bjely → Bely

Bloch, Albert (1882–1961) 92, 342
Bondone, Giotto di → Giotto
Boussaingault, Jean-Louis (1883–1944)
86
Brakl, Franz Josef (1854–1935) 270
Braque, Georges (1882–1963) 83
Brion, Marcel (1895–1984) 7
**Brjussowa (Brjusova), Nadeschda Ja-
kowlewna** (1881–1951) 267f., 305,
313
Brüssow → Brjussowa
Büchner, Karl Georg (1813–1837) 352
Bugajew (Bugaev), Boris Nikolajewitsch
→ Bely, Andrei
**Bulgakow (Bulgakov), Michail Afana-
sjewitsch** (1891–1940) 261
Burliuk, David (eigtl. Dawid Dawido-
witsch Burljuk; 1882–1967) 41, 48,
49, 262, 266, 309–311, 313, **328 f.**,
333, 338
Burljuk, Wladimir Dawidowitsch
(1886–1917) 43, 48, 50, *111*, 310 f.,
314, 322, 328 f., 338, 343
Busse, Erwin Oskar Leopold Ritter **von**
(Pseud. Busse-Granand; 1885–1939)
11, 96, 268, 279, **331 f.**

Campendonk, Heinrich Ernst Mathias
(1889–1957) 36, 276, 336
Čehov → Tschechow
Cézanne, Paul (1839–1906) 23, 35, 45,
48 f., 54, 56, 77, 78, *84*, *106*, 180,
267, 271, 276, 288 f., 311, 314, 322,
341, 343
Chavannes, Puvis de → Puvis de Chavannes
Cooper, Anthony Ashley → Shaftesbury,
Earl of

Novalis (eigtl. Georg Wilhelm Friedrich Freiherr von Hardenberg; 1772–1801) 295

Oldenbourg, Rudolf (1845–1912) 271
Oppenheimer, Maximilian (Pseud. Mopp; 1885–1954) 266, 310
Osthaus, Karl Ernst (1874–1921) 275, 304
Pechstein, Max Hermann (1881–1955) 126, 261, 264, 267 f., 311, 313, 344
Penzoldt, Ernst (Pseud. Fritz Fliege; 1892–1955) 269
Peter I., der Große (Pjotr I Alexejewitsch; 1672–1725), Zar (seit 1682) und Kaiser (seit 1721) von Rußland 43
Picard, Max (1888–1965) 298
Picasso, Pablo Ruiz y (1881–1973) 23, 26, 35, 48, 83, 173, 259, 262, 289, 310 f., 314, 322, 336
Piestre, Fernand Anne → Cormon, Fernand
Piper, Reinhard (1879–1953) 9, 145, 259, 262, 265, 268–270, 271, 272–274, 281, 283 f., 287, 292, 310
Pissarro, Camille (eigtl. Jacob Abraham P.; 1830–1903) 276
Pjotr I Alexejewitsch → Peter I.
Platon (auch Plato; eigtl. Aristokles; 428/427–348/347) 293
Polieri, Jacques (* 1928) 295
Puvis de Chavannes, Pierre Cécile (1824–1898) 44
Pythagoras von Samos (um 570–um 480) 188

Raffael (auch Raphael; eigtl. Raffaello Santi, Sanzio; 1483?–1520) 22, 41
Ranke, Kurt (* 1908) 337
Raphael → Raffael
Read, Sir Herbert Edward (1893–1968) 284
Renoir, Pierre Auguste (1841–1919) 41, 56
Repin, Ilja Jefimowitsch (1844–1930) 44
Reuber, Kurt (?) († 1944) 279
Riegl, Alois (1858–1905) 306
Riemer, Friedrich Wilhelm (1774–1845) 288, 330
Rjepin → Repin

Rohe, Mies van der → Mies van der Rohe
Rosanow (Rozanov), Wassili Wassiljewitsch (1856–1919) 187, 333
Rouault, Georges (1871–1958) 86
Rousseau, Henri Julien (gen. le Douanier; 1844–1910) 48, 138, 146, 156, 160, 170 f., 172, 185, 259, 268, 281, 292 f., 322, 345–347
Rozanov → Rosanow
Rubens, Peter Paul (1577–1640) 22
Rudolf von Sachsenhausen († 1371) 343
Ruiz y Picasso, Pablo → Picasso, Pablo
Runge, Philipp Otto (1777–1810) 295
Rußland → Peter I.
Ryssel, Paul Van → Gachet, Paul-Ferdinand

Sabanejew (Sabaneev), Leonid Leonidowitsch (1881–1968) 107, 112 f., 193, 200, 268, 294, 332
Sacharoff, Alexander (eigtl. A. Zuckerman; 1886–1963) 331
Sachsenhausen, Rudolf von → Rudolf von Sachsenhausen
Santi (Sanzio), Raffaello → Raffael
Sarjan (Zarjan), Martiros Sergejewitsch (1880–1972) 48
Schedel, Hartmann (1440–1514) 349
Schelling, Friedrich Wilhelm Joseph von (1775–1854) 286
Scherebzowa (Žerebcova) 48
Scheyer, Galka (eigtl. Emmy S.; 1889–1941) 300
Schiller, Johann Christoph Friedrich von (1759–1805) 306
Schönberg, Arnold Franz Walter (auch A. Schoenberg; 1874–1951) 60, 144, 158, 170, 231, 260–262, 266–268, 294, 300, 307, 309–311, 313, 322, 329 f., 345 f., 352
Schongauer, Martin (um 1450–1491) 56
Schopenhauer, Arthur (1788–1860) 60
Schrödter, Adolf (1805–1875) 337
Schubert, Franz Peter (1797–1828) 65, 74
Segonzac, André Dunoyer de → Dunoyer de Segonzac, André
Serow (Serov), Walentin Alexandrowitsch (1865–1911) 44
Seurat, Georges (1859–1891) 276

Max Beckmann
Frühe Tagebücher
1903/04 und 1912/13
Mit den Erinnerungen von Minna Beckmann-Tube
Herausgegeben von Doris Schmidt. 215 Seiten mit 40 Zeichnungen. Leinen

Max Beckmann
Briefe im Kriege
1914–1915
95 Seiten mit 32 Abbildungen. Serie Piper 286

Max Beckmann
Tagebücher 1940–1950
Zusammengestellt von Mathilde Q. Beckmann.
Herausgegeben von Erhard Göpel. Mit einem Vorwort von Friedhelm W. Fischer.
448 Seiten mit 8 Fotos auf Tafeln. Serie Piper 786

Max Beckmann
Leben in Berlin
Tagebuch 1908–1909
Herausgegeben von Hans Kinkel.
75 Seiten mit 29 Abbildungen. Serie Piper 325

Mathilde Q. Beckmann
Mein Leben mit Max Beckmann
Aus dem Englischen von Doris Schmidt.
242 Seiten mit 58 Abbildungen und ausführlichen Erläuterungen. Serie Piper 436

Günter Busch
Max Beckmann
Eine Einführung
154 Seiten mit 4 Farbtafeln und 79 Schwarzweißabbildungen. Serie Piper 836

Wassily Kandinsky / Franz Marc
Briefwechsel
Mit Briefen von und an Gabriele Münter und Maria Marc.
Herausgegeben und kommentiert von Klaus Lankheit.
327 Seiten mit 15 Abbildungen und 8 Farbtafeln. Leinen

Klaus Lankheit
Franz Marc im Urteil seiner Zeit
151 Seiten mit 9 Bildniszeichnungen Franz Marcs von August Macke.
Serie Piper 986

Franz Marc
Briefe aus dem Feld
Neu herausgegeben von Klaus Lankheit und Uwe Steffen.
156 Seiten. Serie Piper 233

Hans von Marées
Briefe
Herausgegeben von Anne-S. Domm.
403 Seiten mit 14 Abbildungen.
Serie Piper 732
(Auch in Leinen lieferbar)

Reinhard Piper
Briefwechsel mit Autoren und Künstlern
1903–1953
Herausgegeben von Ulrike Buergel-Goodwin und Wolfram Göbel.
605 Seiten mit 49 Faksimiles und Frontispiz. Leinen

PIPER

Serie Piper Galerie

Max Beckmann
Skulpturen
Einführung von Andreas Franzke.
62 Seiten mit 14 Abbildungen. Serie Piper 604

Die Bernwardstür in Hildesheim
Einführung von Wulf Schadendorf.
68 Seiten mit 51 Aufnahmen von Hermann Wehmeyer. Serie Piper 611

Marc Chagall
Arabische Nächte
Einführung von Kurt Moldovan.
49 Seiten mit 13 Farbtafeln und 14 Schwarzweißabbildungen. Serie Piper 605

Paul Cézanne
Bilder eines Berges
Einführung von Hajo Düchting.
62 Seiten mit 16 Farbtafeln und einer Schwarzweißabbildung im Text. Serie Piper 615

Dank in Farben
Aus dem Gästebuch von Alfred und Thekla Hess
Nachwort von Hans Hess. 64 Seiten mit 15 Farbtafeln
und 8 Schwarzweißabbildungen. Serie Piper 606

Lyonel Feininger
Aquarelle
Einführung von Alfred Hentzen. Bildauswahl in Zusammenarbeit mit Julia Feininger.
53 Seiten mit 16 Farbtafeln und 4 Schwarzweißabbildungen im Text.
Serie Piper 614

Vincent van Gogh
In der Provence
Einführung von Horst Keller.
63 Seiten mit 16 Farbtafeln und 3 Schwarzweißabbildungen im Text.
Serie Piper 1107

Serie Piper Galerie

Wassily Kandinsky
Frühe Landschaften
Einführung von Rosel Gollek.
60 Seiten mit 16 Farbtafeln und einer Schwarzweißabbildung. Serie Piper 607

Ernst Ludwig Kirchner
Großstadtbilder
Einführung von Lucius Grisebach.
61 Seiten mit 16 Farbtafeln. Serie Piper 1061

August Macke
Aquarelle
Nachwort von Wolfgang Macke.
57 Seiten mit 16 Farbtafeln. Serie Piper 610

René Magritte
Die Reize der Landschaft
Einführung von Wieland Schmied.
63 Seiten mit 16 Farbtafeln. Serie Piper 830

Franz Marc
Botschaften an den Prinzen Jussuff
Geleitwort von Maria Marc. Einführung von Gottfried Sello.
62 Seiten mit 16 Farbtafeln und zwei Schwarzweißabbildungen. Serie Piper 601

Paula Modersohn-Becker
Kinderbildnisse
Einführung und Bildauswahl von Christa Murken-Altrogge.
64 Seiten mit 12 Farbtafeln und 20 Schwarzweißabbildungen. Serie Piper 609

Claude Monet
Der Impressionist
Einführung von Horst Keller. 58 Seiten mit 16 Farbtafeln und einer
Schwarzweißabbildung. Serie Piper 1188

PIPER

Serie Piper Galerie

Emil Nolde
Aquarelle
Herausgegeben von der Stiftung Seebüll Ada und Emil Nolde.
Nachwort von Günter Busch. 56 Seiten mit 16 Farbtafeln und
5 Schwarzweißabbildungen. Serie Piper 602

Christian Rohlfs
Blätter aus Ascona
Geleitwort von Helene Rohlfs. Einführung von Paul Vogt.
56 Seiten mit 16 Farbtafeln. Serie Piper 612

William Turner
Aquarelle
Einführung von Paul Vogt.
60 Seiten mit 16 Farbtafeln. Serie Piper 608

PIPER

Julius Meier-Graefe

Entwicklungsgeschichte der modernen Kunst

Herausgegeben von Hans Belting.
Band I: 367 Seiten mit 46 Tafeln und 24 Abbildungen im Text.
Serie Piper 661
Band II: 478 Seiten mit 48 Tafeln und 33 Abbildungen im Text.
Serie Piper 662

Julius Meier-Graefes »Entwicklungsgeschichte der modernen Kunst«
gehört zu den Klassikern der Kunstgeschichte. Der erste Band behandelt die
Entwicklung der bildenden Kunst von den Meistern der italienischen
Renaissance über das 17. und 18. Jahrhundert bis zu den deutschen
Impressionisten Liebermann und Slevogt. Der zweite Band beginnt mit
Feuerbach und Marées und führt über den französischen Impressionismus
zu Max Beckmann.

»Meier-Graefe lebt in der Nachwelt als Entdecker des Impressionismus fort.
Er vermochte die Siege dieser Bewegung in einer Sprache zu rühmen, die
ihrerseits als ein Dokument impressionistischer Literatur Bestand hat.«
                                                                Bayerischer Rundfunk

»Meier-Graefe gehört zu den ersten, die moderne Kunst überhaupt in
ein Geschichtsbild einzuordnen suchten.«   FAZ

»Man wird die Kunst erst lieben, wenn man nicht mehr von ihr spricht,
wenn sie etwas Selbstverständliches geworden und die Beschäftigung
mit ihr so mit unseren alltäglichen Bedürfnissen verwachsen sein wird
wie die Pflege unseres Körpers.«   Julius Meier-Graefe

PIPER